LES GENS DANS L'ENVELOPPE

Du même auteur

Romans

Les Vies extraordinaires d'Eugène, JC Lattès, 2010
Second tour ou les bons sentiments, JC Lattès, 2012
Daffodil Silver, JC Lattès, 2013

Document

Ils sont devenus français, avec Doan Bui, JC Lattès, 2010

www.editions-jclattes.fr

Isabelle Monnin
avec Alex Beaupain

LES GENS DANS L'ENVELOPPE

Roman, enquête, chansons

JC Lattès

Maquette de couverture : Fabrice Petithuguenin

ISBN : 978-2-7096-4983-4

Première édition septembre 2015.

Aux enveloppes

« Alors les photos de famille restent là, dans leurs petits cercueils de carton, et on peut les oublier, elles sont comme des croix plantées, elles appellent le plaisir mélancolique. Quand on ouvre le carton, aussitôt c'est la mort qui saute aux yeux, et c'est la vie, toutes les deux nouées et enlacées, elles se recouvrent et elles se masquent. »

Hervé Guibert, *L'Image fantôme*

Les gens dans l'enveloppe

Mode d'emploi

En juin 2012, j'achète sur Internet un lot de 250 photographies provenant toutes d'une même famille. De cette famille, je ne sais rien.

Les photos m'arrivent dans une grosse enveloppe blanche quelques jours plus tard.

L'enveloppe devient mon trésor.

Dans l'enveloppe il y a des gens, à la banalité familière, bouleversante. Je décide de les inventer puis de partir à leur recherche. Dans l'enveloppe, il y a l'épaisseur d'un roman et les mystères d'une enquête.

Un soir, je la montre à Alex. Il dit On pourrait aussi en faire des chansons, ce serait bien.

Dans l'enveloppe il y a des chants qu'on entend.

Les gens dans l'enveloppe, les imaginer, les trouver, les chanter. Deux livres, des chansons, combien de vérités ?

IM

Les gens dans l'enveloppe

Le roman

Laurence, 1978-1988

1978

Depuis qu'elle est partie je mange à sa place. Ça s'est fait comme ça, je me mets en face de lui et j'essaye de ne pas voir comme il est triste. Ce que je préfère, c'est étudier la nappe. Je cherche les traces que ses couverts ont laissées – elle jouait souvent avec sa fourchette, elle enfonçait les dents dans la toile cirée, ça creusait des petites rigoles, on aurait dit des autoroutes, et j'inventais des voitures en mie de pain. Je me mets au ras de la table pour bien l'examiner. Si j'avais un microscope, je verrais mieux. Je vais commander ça à Noël, tiens, un microscope.

Il guette sur mon visage des souvenirs d'elle, je le sais, cette manière de me regarder qu'il a maintenant. Avant, je veux dire quand elle était là, ils ne me regardaient pas tellement, je veux dire ils ne faisaient pas tellement l'action de me regarder. S'ils me voyaient ils me voyaient mais la plupart du temps j'étais plutôt invisible, un peu comme une pierre ou un arbre qui est là mais qu'on ne remarque pas, ce n'était pas comme aujourd'hui, ce silence et ses yeux posés qui me gênent alors je mets mes cheveux devant mes yeux et il râle qu'on ne me voit plus. Parfois ça l'énerve trop, il les écarte d'un coup avec ses gros doigts et je sors un regard d'orpheline, exprès.

J'étais invisible mais j'avais le pouvoir magique de tout voir, même la transparence des gens je la voyais et ils ne le savaient pas.

C'est la coupe du monde de football. Postée tout près de la télé, je la cherche dans les tribunes, c'est un grand travail tellement il y a de gens. Il faudrait pouvoir photographier toutes les images et les regarder à la loupe. Avec ma méthode, du coin en haut à gauche au coin en bas à droite, à toute vitesse et sans s'arrêter d'être concentrée, je pense que je ne la raterai pas. Pour l'instant je ne l'ai pas vue.

Je ne peux pas croire qu'elle est allée là-bas juste pour le foot. Elle n'aime pas tellement ça, toujours elle s'énerve quand papa met les matchs. Moi je chante Allez les bleus allez les bleus avec les garçons à l'école mais si doucement qu'ils ne m'entendent pas. J'aime bien Michel Platini, je trouve qu'il ressemble à papa. Hier il a mis un but contre l'Argentine. Mon père a crié Allez, on y croit ! Il était plus de minuit pour nous mais à peine sept heures pour elle. C'est comme ça, ça s'appelle des calages horaires : quand il fait jour chez nous, c'est la nuit là-bas ; l'été ici, l'hiver pour eux. Ça nous fait des journées très longues si j'ajoute les siennes aux miennes, et des saisons qui durent toute l'année puisqu'il y en a toujours une de nous deux qui est en hiver. Ma mère aime l'hiver. Elle aime le froid qui pince et la neige qui dit chut. Je l'imagine dans son manteau rouge et tout entourée de son écharpe à l'odeur d'elle, la tête en bas de l'autre côté de la terre.

Nos vies sont toutes à l'envers maintenant.

Même papa ne se force plus à être sévère. Quand je me suis relevée, j'ai fait semblant de me réveiller alors que j'écoutais la télévision depuis mon lit, bien concentrée pour l'entendre, je suis sûre que je reconnaîtrai sa voix si elle crie fort, eh bien j'ai eu le droit de rester, il n'a pas dit comme il dit d'habitude C'est trop tard pour les gamines de ton âge, tu vas au schlof et tu ne discutes pas. On a regardé la fin du match tous les deux. Il y avait un but partout mais un Argentin en a marqué un autre et on a perdu. Papa a dit Argentin de mes deux, j'ai failli rigoler.

Il a attendu longtemps avant d'éteindre la télé. Il se pinçait les yeux, c'est ce qu'il fait quand il a un peu envie de pleurer, je le sais maintenant. C'est là que mamie Poulet a téléphoné. Il m'a envoyée me recoucher mais j'ai entendu ce qu'il disait depuis le couloir : Non je l'ai pas vue, il y a trop de monde dans ces stades.

Eux aussi la cherchent.

Si on s'y met tous, on va finir par la retrouver avant les cent parce que je ne sais pas tellement compter plus loin. L'Argentine n'est pas si grande.

J'aurai huit ans demain et maman n'est pas là. Il y a quarante-quatre jours qu'elle est partie. Disons plutôt qu'il y a quarante-quatre jours qu'elle n'est pas rentrée. On s'est levé un matin, un mardi, elle n'était pas là. On est rentré le soir, elle n'était pas là. À l'usine non plus on ne l'a pas vue, a dit papa au téléphone, il la cherchait partout. Le soir nous n'avons mangé qu'un chocolat chaud, mes tartines comme des éponges et des îles de beurre sur le lait brûlant. Papa regardait droit derrière moi, invisible je t'ai dit.

Le lundi suivant, nous avons reçu une carte postale de Paris, disant Je pars en Argentine je ne pouvais pas faire autrement il ne faut pas m'en vouloir je donnerai des nouvelles dès que possible. Il l'a jetée à la poubelle après l'avoir déchirée en petits morceaux. Des nouvelles dès que possible. Peut-être sera-t-elle ma surprise d'anniversaire. Je n'ai rien commandé d'autre.

Je m'entraîne à l'élastique avec deux chaises. Maman n'est plus là pour le tenir d'un côté. Sandrine et ses deux sœurs y jouent aussi, je les entends sauter juste au-dessus de notre cuisine – pas besoin de chaise pour remplacer les humains chez elles.

M'en fiche pas mal.

Leur mère n'est pas belle comme maman. Papa l'appelle L'autre trumeau du cinquième. Sandrine, je ne lui parle plus. On était dans l'escalier, elle a dit Ta mère c'est un peu une pute et ton père il a des cornes de cocu. Ma tristesse a coulé de partout, mon oreiller tout mouillé de colère jusqu'au matin, j'ai décidé que c'était la dernière fois sur mes joues.

C'est celle qui le dit qui y est.

La plupart du temps qui s'ennuie, je dessine. Elle ne m'a pas appris, tout le temps trop fatiguée, mais je l'ai vue faire. Je m'imagine que je suis elle et c'est facile de le devenir. Dans ma tête je discute avec des copines de l'usine, nous buvons des cafés en fumant beaucoup de cigarettes. En dévissant ses tubes de couleurs, je trouve des raisons d'être moins impatiente. J'écrase mon doigt dans les vermisseaux de peinture. J'invente des voitures très longues, des ciels immenses, des beaux arbres et des visages où tout le monde est là.

Dimanche dernier c'était la fête des mères. On a préparé un calligramme avec le maître. Au début, il a proposé que j'aille dans le groupe des mamans mortes avec

Laurent mais finalement il a accepté que j'en fasse un quand même. J'aime bien les poèmes de Maurice Carême.

Lorsque je tire la chasse d'eau, j'entends sa voix dans l'eau qui revient. Je passe un peu ma vie aux toilettes.

Il dort sur le canapé. Mon lit est un puits bien trop noir, je me couche dans le leur. Je m'installe à sa place et si je laisse la couverture en bazar on peut faire semblant qu'elle me serre près de son ventre. Je garde l'odeur de maman. Je suis un bon chien.

Souvent j'ai l'impression qu'un grand hibou me regarde. Ses yeux occupent tout le mur de la chambre. Ça me fait une peur toute rouge, je la roule en boule et je la cale contre mon creux. Sous le drap, je lui dis des longs mots de silence.

Je ferme les yeux et je compte comme elle m'a dit, Tu comptes bien et le sommeil viendra. Mais le sommeil ne vient plus. À cause du problème que je dois surveiller la porte. Comme je la ferme à clé pour que papa ne sorte pas, maman ne pourra pas rentrer puisqu'elle a oublié son trousseau en partant. Alors je reste éveillée, pour l'entendre quand elle sonnera. À l'école le maître râle car je m'endors sur ma table. Je ne sais pas lui expliquer que maintenant, à cause des calages horaires, les nuits durent toute la journée.

Comme papa travaille, je passe mes vacances chez mamie Poulet. Le matin je vais au cheval. Je monte Pacotille, elle est douce et forte, elle comprend tout ce que je lui dis, même les secrets qu'on n'entend pas.

Jeudi, Pacotille s'est emballée et est partie au galop au milieu du pré, j'ai crié Maman en m'agrippant à sa crinière. La monitrice s'est moquée de moi. J'en ai pleuré dedans, à avaler des litres de larmes brûlantes, mais plus rien dehors, t'as vu, comme j'ai décidé l'autre jour.

Si on le veut vraiment, il est assez facile de pleurer sans que personne ne le voie. Il suffit de bien contrôler sa respiration. Mon père n'y arrive pas trop. Ça le prend surtout quand Hervé Vilard chante Nous, c'est une illusion qui meurt / d'un éclat de rire en plein cœur / Une histoire de rien du tout / comme il en existe beaucoup. Mon père au volant, faut le voir, grosses larmes, un de ces bruits, renifle, coule dans sa bouche et tout et tout. Je préfère Ti amo, tiamotiamotiamotimaoti-amo – et je m'enlace comme si je dansais un slow.

Dans ma collection de mes plus grands souhaits pour quand je serai grande, majorette est numéro un, fanfare, tambour, chapeau, bâton, bottes blanches, mais ça n'arrivera pas parce que je ne suis pas une fille comme les autres. Je ne sais pas d'où vient la différence, des autres ou de moi. Je trouve que les autres non plus ne sont pas tellement des filles comme moi.

Quand je serai grande, aussi, on fera des quarts d'heure américains, je ne serai plus si timide, j'inviterai Rudy à danser.

Mamie Poulet m'apprend le crochet, papy Raymond à ramasser les légumes au jardin. Nous écossons les petits pois, nous préparons de la confiture de fraises et de la gelée de groseille, je tourne la pâte du gâteau. Nous jouons aux dames, elle me laisse gagner. Je comprends ce que nous faisons : nous nous occupons en attendant que maman revienne.

Depuis deux jours, il fait très chaud et c'est son chaud d'avant qui m'entoure. Pendant ce temps, elle est en train de me préparer le froid de l'hiver prochain. C'est comme une ronde que nous dansons toutes les deux.

J'ai commencé une collection de nuages.

Je rêve que je suis orpheline. Une très jolie orpheline avec des nattes dans un orphelinat tout blanc. Un couple de la ville vient, la dame pleure dans son mouchoir, elle est blonde, elle dit Appelle-moi maman. Ils me choisissent.

Deux fois par an, le camion de glaces passe. Le chauffeur klaxonne et mamie Poulet croit que c'est un signal de fête. Ça a l'air de lui faire très plaisir, pourtant elle n'en mange jamais, à cause de ses dents qu'elle n'a plus, elle dit que ça lui caillerait les gencives, Ouh ça me caillerait trop les gencives. Nous descendons jusqu'au portail et le monsieur dépose les cartons sur le bas-côté. Ensuite, nous devons les ranger. Je grimpe sur une chaise et c'est moi qui décide où on les met. Le froid s'échappe dans un nuage gelé, on dirait que je suis le fantôme du congélateur. Toujours j'ai un peu peur de tomber dedans. Ça me fait penser à un sarcophage des Égyptiens – et je serais la momie.

Il y a plusieurs sortes de glaces, le mieux est de les ranger par familles, dans l'ordre du moins bon au plus meilleur : les petits pots vanille fraise avec la cuillère en plastique collée sur le couvercle en carton, les bâtonnets

Royal et leur chocolat tout brillant autour, les cornets vanille chocolat avec les morceaux de noisettes au-dessus, et mes préférées de toute la vie, les parfaits au café, parce qu'ils ont des grains de café croquants cachés dans le caramel au fond du cône en plastique marron.

Une fois que j'ai terminé le rangement, je peux choisir une glace. Je ne sais jamais quoi prendre. Le problème des glaces est compliqué : soit tu manges en premier celle que tu préfères et après il n'y en a plus, soit tu la gardes pour plus tard mais alors tu la regrettes. Une fois que tu as choisi, même problème : soit tu manges vite parce que c'est tellement bon mais ça passe trop rapidement, soit tu prends ton temps. Mais ça peut fondre.

Mamie Poulet sent le chèvrefeuille. Elle est gentille malgré qu'elle ne sourie pas souvent.

1982-1983

Nous avons un nouveau téléphone, il est orange et à touches, plus de cadran gris. Il ne sonne jamais, muet comme une tête de mort, ou alors c'est mamie Poulet qui demande si on a des nouvelles et quand est-ce qu'on vient. Et mon père soupire.

J'attends que ma vie commence.

Je n'aurais jamais cru pouvoir devenir amie avec un objet. C'est pourtant ce qui est arrivé avec ce nouveau téléphone. Je l'appelle Nono. Depuis que j'ai découvert un jour qu'on l'avait mal raccroché, je passe mon temps à vérifier que le combiné est bien sur son socle, les deux petits tiquelets bien enfoncés.

Ça fait bientôt douze ans que j'attends que ma vie commence.

Même la nuit, je vérifie que le téléphone est raccroché. Mon père dort sur le canapé, de son sommeil de trop bu, il ne va presque plus dans leur chambre. Je veille. Mes nuits ne s'endorment plus jamais, c'est comme si elle était partie avec mon dormir.

Quand elle appellera, je ne la louperai pas.
Impossible, impossible.

Mamie Poulet veut toujours qu'on aille au barrage. Je connais la promenade par cœur, d'abord le sentier bordé de sapins puis le passage qui fait comme un tunnel entre les deux murs de roche. On dirait des morceaux de tissus à coudre entre eux, du vert, du gris, du marron, du marron et du marron, et tout ce bruit autour.

Je ne sais pas ce qu'elle trouve à ce barrage. Dès qu'on s'en approche, elle m'attrape et je dois marcher à sa vitesse, c'est-à-dire à environ moins vingt kilomètres à l'heure. Elle dit Viens au bord mais on ne tombe pas, ne bouge pas, reste à mes côtés. Elle me tient tout près, genre mon bras n'est qu'une brindille, genre je suis une gamine. Donc : la promenade consiste à aller toujours au même endroit où on n'a rien le droit de faire. Va comprendre.

Mamie sait pourtant que je déteste l'eau, je ne risque pas de m'y pencher. L'autre jour encore, au lac, il a voulu m'apprendre à nager. J'ai hurlé si fort quand il m'a lâchée qu'il m'a collé une de ces baffes.

Il a dit Je m'en sors pas.

Je déteste l'eau et je fais pipi au lit presque chaque nuit. Près du barrage je ramasse des branches et des cailloux. J'ai des pierres plein les poches. Je ne les jette plus dans l'eau. Je veux les ramener à la maison pour ma collection mais papa crie que je lui salis sa voiture avec mes détritus. Dans ma tête, je réponds C'est pas des détritus, c'est des choses importantes. Dans le profond de ma tête, j'ajoute Bande de cons.

Je fourre tout dans le coffre.

Et j'avale un caillou.

Mamie Poulet hausse les épaules, elle dit Celle-ci est zinzin comme sa mère. Je me fiche de ce qu'elle pense. Avec ses lunettes fumées on dirait le dictateur de la Pologne, Jaruzelski.

Parfois lorsque je marche, j'ai l'impression de ne pas marcher, plutôt flotter un peu à côté de moi, je ne sais pas tellement l'expliquer.

Maman, s'il te plaît, reviens maintenant, j'ai compté jusqu'à mille cinq cents.

Je ne parle pas, sauf dans ma tête où je discute avec tout un tas de gens. Sinon, je préfère laisser de longues plages de silence entre moi et les autres. Ça énerve un peu mon père mais pas mamie Poulet qui dit Oh ça nous repose des pipelettes. Le silence, c'est pour être certaine de bien tout entendre, une arme de sioux. Je regarde le ciel, j'écoute les nuages et la terre. Avec mes petits mocassins à perles, je m'aplatis sur le chemin et je stéthoscope le sol à l'affût de son retour.

En maths, on a appris les nombres négatifs, ils sont immédiatement devenus mes amis. Je suis un nombre négatif, je retranche tout et je ne retiens rien. Ou l'inverse, retiens tout ne retranche rien.

Est-ce qu'elle m'embrassait pour me souhaiter une bonne nuit ? Je ne sais plus la sensation d'être avec elle. Elle est partie mais je crois que son ombre, toutes ses ombres, sont restées. Sur le trottoir devant l'immeuble je la vois passer parfois, les bras chargés de commissions. Et aussi sur le chemin du barrage, quand le soleil est derrière nous : son ombre s'étire jusqu'à la lisière des bois, sautille avec la mienne, elle attrape ma main et enlève un cil sur ma joue, elle se penche un peu, je cours.

Je ne sais pas à qui je ressemble. Pas tellement à lui. À elle ? Il y a si peu d'images. La photo dans le portefeuille de mon père : floue, mal cadrée, elle a l'air malade. L'album du mariage : on ne la reconnaît pas, comme si elle ondulait au-dessus de l'escalier en pierre où ils prennent la pose, un fantôme maigre. À ma naissance, assise dans le lit d'hôpital elle me tient allongée sur son bras. On dirait qu'elle n'est pas là.

Au-dessus de la cheminée nous avons accroché le tableau qu'elle a peint de moi. Je ne l'aime pas tellement mais je le regarde chaque jour pour me souvenir de son visage.

La nuit je chuchote. C'est ce que font les filles normales lorsqu'elles s'invitent à dormir : elles chuchotent jusqu'à pas d'heure. Je chuchote au gris du rideau, aux oiseaux de six heures du matin et aux lignes que dessinent les avions dans le ciel. J'ai trouvé un petit nid derrière chez mamie Poulet. Je l'ai posé tout près de ma lampe de chevet, à côté de ma tête qui jamais ne s'éteint.

Dans la forêt j'enterre des phrases.

Je collectionne tout, le bruit des bourrasques, l'écorce, la pierre brûlante de l'été et le gel brillant de l'hiver, les picots des cailloux sur le chemin, le roulis du vent dans l'herbe haute, l'odeur de la suie avant le tonnerre. Ma chambre sent l'humus, branchages conservés sous mon lit ; les feuilles sèchent puis tombent, ça craque un peu, c'est comme si c'était chez nous, j'imagine des écureuils et des biches, des bosquets où j'habite avec Pacotille et Minette. J'aimerais vivre dans les bois, être la protégée des arbres et des rochers, avoir plusieurs terriers sous la mousse où dormir, si les rivières débordent je grimperai jusqu'aux cimes, je voudrais ne plus avoir besoin qu'elle revienne pour savoir où elle est.

Il faudrait que nous achetions un répondeur. Quand il est à l'usine et moi au collège, Nono peut sonner dans le vide, l'idée me déchire le ventre. Je rentre en courant, mon cartable tape mes mollets, les quatre étages en quarante-deux secondes et la clé tremble trop bruyante dans la serrure. J'apprends à manger en silence pour entendre la sonnerie, au cas où. Je déteste cette nappe poisseuse qu'il ne veut pas changer comme tout ce qui a connu ma mère.

J'ai vu un répondeur au magasin. Ça coûte trop cher, il dit, en plus personne ne nous appelle jamais, si encore ta mère était là, elle avait des coups de fil de temps en temps. Je le commande à Noël, je ne commande que ça, et quand même il se moque de moi. Une des rares choses qui me fait pleurer : penser qu'ils ne me l'offriront pas. Ils m'ont bien offert des tonnes de jeux de société (pardon mais débile pour une fille qui n'a personne avec qui jouer), des caisses enregistreuses en plastique, des maisons de poupée, un vélo et même un poncho, ils ont bien les moyens de payer le répondeur pour moi.

Sinon, je m'en fiche, je le volerai.

Sandrine m'a dit qu'elle faisait ça avec sa grande sœur Christelle : voler dans les magasins. Mon père, ça lui fera les pieds que je devienne un cas social.

Je veux un répondeur et que le message dise Maman si c'est toi n'oublie pas de dire où je peux venir te voir, maman si c'est toi dis-moi que tu ne m'oublies pas, maman si c'est toi tu sais je pense à toi chaque minute de la journée et chaque seconde de la nuit.

Le hibou rouge m'appelle. Je quitte mon lit et je le suis, pieds nus et chemise de nuit. Les trottoirs sont en herbe brune. Nous allons vers le noir éblouissant. Je n'ai pas peur du tout.

J'ai emprunté un album de *Mafalda* à la bibliothèque. Je copie les dessins dans mon cahier de brouillon. La mère de Mafalda a des grosses lunettes et des cernes, la mienne sent bon et son visage est doux-chat, Mafalda est ma sœur d'Argentine mais sa mère n'est pas ma mère, situation familiale un peu spéciale.

À Noël, j'ai eu le répondeur et aussi un walkman et une guitare. Depuis qu'elle ne revient pas, je suis gâtée. J'ai baptisé le répondeur Mafalda, il devient le meilleur ami de Nono qui est mon meilleur ami objet. Tout l'immeuble a défilé pour le voir, la tête de jalousie des parents de Sandrine était très drôle – et hop, dans ma collection des drôles de têtes.

Je cours toujours aussi vite pour rentrer du collège. D'après la notice, en cas de message le bouton rouge de Mafalda clignotera. Je me jette dans le salon sans enlever mon anorak. Pas de clignotement pour l'instant.

Ça viendra.

On ne peut plus la louper.

Papa dit Tu finiras par travailler aux renseignements à force d'être accrochée au téléphone. Je me moque pas mal de ce qu'il pense, je fume ses mégots en cachette.

J'aide papy Raymond à replanter le sapin de Noël, au fond du pré, avec ceux des années précédentes. Mamie Poulet donne les directives. Il fait le trou, j'enlève les pierres et les vieilles racines, je recueille des vers de terre dans mes mains, j'aime qu'ils se rétractent gluants, puis l'arbre vient et je comble le trou avec la boue. Je sens mes doigts durcir, la terre les enrobe, on dirait des bâtons. Si je reste bien droite sans bouger je finirai par prendre racine moi aussi. À peine je respire, mes bras en branches écartées. Je suis leur sœur, un arbrisseau bien fier.

La nuit, j'invente des chansons très belles en espagnol, des chansons d'amour et de révolte, elles traversent l'Atlantique et passent sur toutes les radios argentines, ma mère reconnaît ma voix, elle est prisonnière du méchant qui l'a enlevée mais elle entend mon chant et ça lui donne la force des désespérés, elle réussit à s'échapper par une petite fenêtre, elle court dans les rues, sa robe est déchirée, elle se tord les sabots mais elle court pour nous sauver, à l'aéroport elle explique que c'est moi, sa fille, qui ai écrit cette chanson que tout le monde chante et que je l'attends et qu'ils doivent la laisser monter dans l'avion même si elle n'a pas d'argent et ils sont d'accord merci beaucoup au revoir.

Je conserve dans une boîte à chaussures les choses que je vole, surtout des bagues et des crayons de maquillage dont je ne me sers pas. J'ai horreur du maquillage, ça fait fille.

Elle n'appelle jamais.
J'ai peur de tout.
Je vais devenir folle.

Je décide de boire du lait, plus jamais de l'eau. Mamie Poulet dit que je veux me donner un genre, je m'en fiche. Du lait tout le temps.

Dans les coupes de course de Mimi (rien que sur le buffet il y en a quarante-trois, j'ai compté), je cache une moitié de choco et un trognon de pomme. On verra combien de temps il leur faudra pour s'en apercevoir (d'après mamie Poulet, Les Mimi ne font <u>jamais</u> le ménage) ou combien de temps avant le pourrissement et la totale disparition. Je serai scientifique plus tard, j'inventerai énormément de découvertes pour l'an 2000 et surtout une manière d'être à plusieurs endroits en même temps.

J'ai mes règles sans elle.
Me sortent du ventre en filaments de sang noir, une odeur de métal dans ma culotte, ça me fend les reins, sans

elle. Mamie Poulet m'explique Maintenant tu peux porter. Je pense aux vaches, à leurs veaux mouillés titubant dans le pré. Je suis à présent une vache, plus tellement un veau, sans elle.

Je me mets toute nue sur le carrelage de la salle de bains. En boule comme un chiot, je sens bien tout le froid.

Nous cherchons le lait à la ferme du haut. Mamie Poulet soupire que c'est pour me faire plaisir, que sinon les briques du supermarché sont plus pratiques. Parfois le petit-fils de la ferme est là. Il est drôle comme une bulle de savon. Il dit des choses comme La crème fait des ronds à la surface, on dirait le ciel qui descend les escaliers. J'aimerais qu'il soit mon ami mais à peine je me retourne qu'il est déjà parti. Bulle de savon, j'ai dit. Les phrases sont comme ça aussi, des bulles de savon. Elles restent suspendues un instant après qu'on les a pensées et puis elles éclatent d'une mouillure. On ne les retrouve jamais.

Je n'ai pas d'ami.

Je n'en ai jamais eu. Même à l'école maternelle, à l'âge où tout le monde a des amis, même quand elle était encore là, jamais. Je passe les récréations à étudier ce que font des amis, je note les caractéristiques, cette façon qu'ils ont d'être seuls ensemble. Tu comptes face au mur, ils s'égaillent comme des mouches et tu fonces les chercher partout, tu es le chat, ils se perchent, mais tu réussis à ruser une fille, à l'élastique tu dois faire preuve de déhanché et de rythme, c'est encore mieux si tes sandales font un petit bruit quand tu sautes, vous

vous dites des secrets et aussi des méchancetés sur les autres, vous jouez à attrape-garçons et c'est amusant on dirait. À force de les observer, les autres, leurs disputes, leurs retrouvailles, je pourrais en devenir la plus grande des spécialistes, mais au fond je ne saurais pas la sensation que cela fait, l'amitié. Et pour moi, au bord de mes souliers démodés, parfois leurs crachats, toujours leur indifférence.

Une fois, j'ai presque eu une amie, c'était l'avant-dernier jour de l'école primaire. Pendant une journée je me suis tenue sur le bord de l'amitié comme courent au bord des piscines ceux qui savent nager. Nathalie. J'ai compris qu'avoir une amie est une chose qui ne s'explique pas, une sensation pleine qu'on ne peut pas dire. C'est comme se sentir en vie, une chose à laquelle on n'a pas besoin de penser. Au contraire : si on y pense, ça s'évapore.

L'amitié c'est pareil, pas besoin de parler, tu prépares une bombe à eau et quand elle explose au milieu de la cour, tu te regardes juste et tu sais que tu es fière pareille, tu sais surtout que tu dois te sauver en courant pour ne pas te faire attraper, tu cours au même endroit que ton amie, c'est à cela qu'on vous reconnaît comme étant des amies, et tu rigoles tellement que tu ne respires pas, les cheveux trempés d'eau, les joues rouges de toute la joie ; le soir en t'endormant tu y repenses et ça te chauffe le cœur d'avoir enfin une amie, tu imagines tout ce que tu feras avec elle et ce seront des cabanes à secrets, et puis le lendemain, sans que tu comprennes pourquoi, l'amitié est terminée, Nathalie te regarde à peine, transparente tu continues de mesurer la cour avec tes pieds pendant que les autres jouent à la balle au prisonnier.

Bref, on ne va pas en faire toute une histoire mais je n'ai pas d'ami. Je ne sais toujours pas si c'est parce que je n'aime personne ou si c'est parce que personne ne m'aime.

Mes seules amies sont Minette et Pacotille. Nous trois, c'est un pacte. Nous sommes des animaux sauvages capturés par les humains. Nous avons juré de ne plus rien dire jusqu'à notre libération. Même sous la torture des militaires, nous ne dirons pas un mot. Ils n'auront qu'à deviner.

Mon père me présente Sylvie. Elle paraît gentille, je lui tends la main pour la saluer, elle dort une nuit dans leur chambre, j'entre en silence pour vérifier qu'elle n'a pas pris le côté de ma mère, Sylvie est allongée à la place de mon père, sur le dos, les yeux ouverts, elle se tourne vers moi, elle a l'air très fatiguée ; elle ne revient jamais.

Je préférerais qu'elle soit morte.
Oui.
Je préférerais qu'elle soit morte.

Il y a deux sortes de solitude.

La gentille, quand je suis au bain ou à cheval. Tu te parles et tout est bien, tu n'as honte de rien, tes mots sont doux, même les plus méchants ne te blessent pas, même ceux qui disent la vérité te caressent. Ou alors l'été, tu t'allonges dans l'herbe et elle est douce, tu fermes les yeux, tu vois le ciel par-dessous tes paupières translucides, alors tu es totalement seule. Jusqu'à leurs voix éclaboussées qui s'éloignent dans le soleil.

La mauvaise solitude tout le temps au collège, lorsqu'elles se taisent quand j'arrive, qu'on se moque de mon anorak rouge, de mes dents de lapin et de mes mauvaises notes ou quand Pierre, sans remarquer que je le regarde, rit avec d'autres et même ce cageot de Christine. Une espèce de brûlure, cette solitude.

Il y a aussi la solitude de ta mère partie avec un homme que tu ne connais pas. Elle t'a laissée avec ton père et son chagrin.

Ça fait trois sortes de solitude.

À trois je me jette par la fenêtre. À quatre, je range ma chambre.

Quand il pleut, je dessine encore des poèmes.

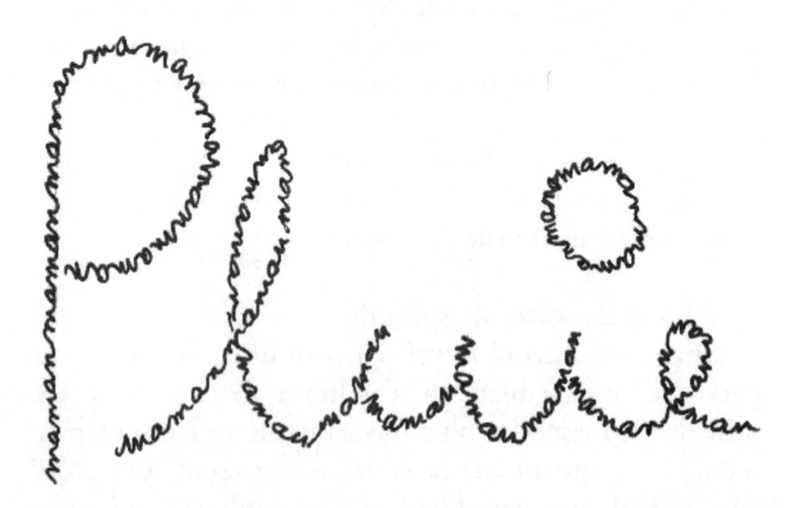

Parfois quand elle me manque trop j'ouvre son placard. Tous ses vêtements sont là, il n'a rien jeté. Je les connais par cœur. Collection de chaussettes culottes soutiens-gorge. Collection de jupes pantalons salopettes. Collection de chemises tuniques pulls. Et de l'autre côté collection de manteaux blousons chaussures. Dans une boîte ornée d'un Pierrot : collection de bijoux échantillons de parfums. Elle a tout laissé. Je choisis des vêtements. Je les étale par terre. Sa jupe marron, son petit pull vert et ses belles bottes à talons. De loin on pourrait croire qu'elle est étendue là, elle se repose un peu. Je m'allonge près d'elle. Tout a gardé son odeur. Je ferme les yeux. Si rien ne bouge, j'entends son souffle à la vanille.

Grande nouvelle, mesdames et messieurs, la dictature est terminée en Argentine. Je vois un reportage à la télévision. Ils ont ouvert des bureaux où les gens viennent témoigner de ce qui leur est arrivé. Ce qu'ils racontent est si horrible, explique un moustachu, que plein de dactylos chargées de noter ce qu'ils disent ont démissionné.

Ma mère a dû faire dactylo là-bas, je le pense depuis le début, pas ouvrière en tout cas c'est sûr. Elle a démissionné. Elle va revenir. Sinon je ne saurai jamais si je lui ressemble. J'utilise le fond un peu huileux de ses pots de crème Oil of Olaz et sous son khôl, mes yeux sont deux nuages gonflés de tonnerre.

La psychologue habite un appartement comme le nôtre. J'y vais à cause de l'infirmière du collège. Ça sent le chou dans la cage d'escalier. Elle a des lunettes énormes et une incroyable épaisseur de cheveux. Elle aime que je ne parle pas du tout, que je vole énormément, que je pisse au lit et que ma mère soit partie. Quand papa lui a dit que je ne savais toujours pas nager, j'ai cru qu'elle allait pousser un cri de joie. Tarée.

Je ne lui parle pas de mes collections de moments, les moments pleins, les moments vides, les moments où je n'ai peur de rien, les moments sans penser et la plus fournie : la collection des moments d'ennui.

De toute façon, je ne lui dis rien, je la regarde comme si je ne comprenais pas sa langue, et pendant qu'elle discute avec mon père, je vole des bonbons qu'elle a disposés dans une coupelle. Mon père soupire, il dit Elle n'accepte pas. Elle répond en articulant chaque mot pour que je comprenne (= elle me prend donc pour une débile, parfait) Je trouve que Laurence a de la chance de vous avoir comme papa, vous résumez très bien la situation. Du coup son stylo aussi, un peu en or, je le vole quand nous partons. Je comprends ce que voudraient les adultes : que je me résigne, comme eux. Sur le chemin du retour papa dit Si c'est pour que tu te taises, je ne vois pas l'intérêt de payer. Nous n'y retournerons pas.

J'ai appris un nouveau mot. Comme enfance silence souffrance absence distance, il rime avec Laurence : carence.

Nous avons un nouvel appareil photo, un Polaroid. Je photographie Minette et les chiens puis je joue au jeu des sept familles d'orphelins. Je m'arrange toujours pour perdre.

Sinon, j'évite de jouer car jouer me distrait de l'attente. Si je joue je n'entends pas le premier bruit de son retour.

Le matin de mes treize ans, mamie Poulet me dit Tu n'as jamais été une enfant. C'est me donner une claque sans l'intention de me faire mal. Résumé de ma vie, définition parfaite, un trou immense et une margelle d'un centimètre où tenter de se tenir.

Je ne suis pas une enfant.

Je suis autre chose, un corps qui attend que ça commence, un être qui pousse tout seul, sans que personne ne s'en occupe. Une espèce de touffe d'herbes sauvages, un bas-côté. Une élève au collège, une fille, elle a ses règles, mais sinon pas grand-chose, une pierre peut-être, une voie sans issue, un bout du monde.

Je suis une vieille comme eux.

Nous allons toujours au camping en août. Tante Mimi continue de gagner ses courses. Je la photographie sur le podium. Il y a cette fille, dans la caravane à côté, ils décident que nous sommes amies. Elle a une théorie : d'après sa cousine on peut sortir avec un garçon à l'âge de quatorze ans. Nous avons treize ans, une année encore à attendre, ça lui semble interminable, elle veut essayer tout de suite, elle ne parle que de cela.

Je l'accompagne jusqu'aux souches où les jeunes du camping se retrouvent pour fumer. Assise sur un rocher, je le strie de mille traits blancs avec un caillou. Dans le groupe, il y a un garçon. Il a l'air triste. Je le trouve beau. La fille rit trop fort, je m'allonge sur le rocher et je fouille le ciel entre mes doigts, à la recherche du silence. Le garçon triste s'assied près de moi. Il me regarde un peu puis il s'en va.

Mamie Poulet étrenne sa rôtissoire portative. Elle l'a reçue en cadeau du catalogue, Depuis le temps que je leur commande tout, elle dit. C'est une espèce de joie, on est tous contents, elle peut enfin faire son poulet du dimanche même en vacances. On met un seau rouge en dessous pour recueillir la graisse chaude. Ça sent la peau grillée dans notre allée. Les voisines viennent voir, elles se taisent et joignent leurs mains devant les poulets, on dirait qu'elles se tiennent devant une tombe.

Elles prient.

Quelqu'un manque, peut-être.

Les jeunes veulent aller se baigner au torrent. La fille d'à côté me dit Viens, c'est un bon endroit pour sortir ensemble. Je dis Non je ne peux pas me baigner j'ai mes règles, c'est un mensonge, et je reste avec ma famille, sieste molle dans les fauteuils en toile.

Nos peaux sont des enveloppes qui entourent ce que nous sommes vraiment et qu'on ne verra jamais. Les jambes nues de mamie Poulet sont de la couleur des cierges, sa peau est une cire opaque, un boyau increvable qui retient la vie.

Je vole plus que jamais. Un maillot de bain étendu sur le fil, un rouleau de papier toilette et la gourmette qu'une femme oublie aux sanitaires, un ananas aussi.

Quelques jours après la rentrée des classes, papy Raymond meurt. Couché bonsoir bonne nuit un soir, réveillé mort tout raide dans le lit le lendemain matin. C'est comme ça, mourir. À son enterrement je ne pleure pas. J'espère juste qu'il n'aura pas trop froid, avec toute cette pluie qui tombe sur le cimetière.

Je gagne le concours du plus beau carnet de dessins de vacances, j'ai imaginé le camping après le départ des vacanciers, les fantômes des caravanes sortent et se font bronzer, les arbres jouent à cache-cache avec leurs ombres sur le torrent et le rocher raconte aux souches la légende de l'orpheline et du beau garçon triste.

Ils m'applaudissent sous le préau.

Un chien errant arrive au village de mamie Poulet. Il n'est à personne. Un voisin prend son fusil et l'abat. C'était une gentille bête, dit mamie.

Je viens de comprendre que lorsque l'épicière dit en rendant la monnaie Et 50 qui font sans, elle veut dire Et 50 qui font 100. On a bien rigolé avec Minette quand je lui ai expliqué.

Je décide qu'elle est morte.

1987-1988

Mamie Poulet aime qu'on s'arrête voir sa sœur après le barrage. Depuis que tonton Jojo est parti, Mimi passe ses dimanches au club de course à pied. Près d'un ruisseau il y a une cabane en bois vert, quelques tables sous un tilleul et des parasols publicitaires. Elle tient la buvette.

Papa s'assoit à l'écart avec une bière, l'hameçon de son regard est jeté derrière tout, cet air de ne rien voir qu'il a. Je sais ce qu'il regarde pendant des heures : il fixe l'absence de ma mère.

Adossée à un arbre, j'observe la baignade de deux chiens dans le ruisseau. Je les dessine dans ma tête, je peine à rendre la transparence de l'eau sur leur poil. Je me demande ce que serait le monde en mon absence. Une fille adossée à un arbre observe des chiens ou aucune fille adossée à cet arbre pour observer ces chiens : rien d'essentiel ne manquerait, tout ce qui compte vraiment serait là, l'arbre, le ruisseau, les chiens. Complètement le même monde, sans moi. J'en déduis une conclusion parfaite pour ma collection de réflexions inutiles.

Je ne sais toujours pas si le monde est trop vaste ou trop vide. Mes paumes le mesurent avec peine, petites, creuses.

Un groupe de coureurs rentre d'une sortie. Ils s'étalent autour de la buvette en grimaçant. La boue dessine des archipels sur leurs jambes.

Il a enlevé son débardeur. Assis dans l'herbe, il s'étire. Son torse nu s'incline vers ses jambes, il attrape ses pieds, ses mouvements sont lents, ses cuisses sont fines et puissantes, un dessin parfait. Il a la beauté des arbres jeunes.

En un seul regard, je le vois en entier, je veux dire je comprends l'entièreté de ce qu'il sera : une terre où demeurer. Le monde, il le remplit.

Je veux m'asseoir avec lui, tirer sur mes jambes et essuyer la sueur à mon front. Il y a une place pour moi, là. Je le sais parce que lorsqu'il tourne ses yeux vers moi, c'est le tout premier regard posé sur ma vie.

C'est pour lui que j'ai tenu jusqu'ici.

Sébastien.

Il me donne rendez-vous à l'arrêt de bus.

J'y vais. Toutes les fois d'après, j'y retournerai. Il me dira Viens et je viendrai. Je marche sur l'arête du trottoir, tête droite, je compte mes pas et ma respiration ne m'attend pas pour le rejoindre, elle s'est coulée dans la sienne au premier souffle partagé.

Il me sourit, ses dents sont petites et ses lèvres un peu épaisses, il me sourit et son sourire m'ouvre la porte, me prend dans ses bras, m'acclame et me porte haut. J'existe. Il me sourit et toute ma timidité se déshabille.

Tout prend la couleur de Sébastien.

Il y a un siècle que c'est à lui que je parle dans mes silences, il comprend ma langue de cailloux. Je me tais encore mais il n'y a plus le silence, il n'y a plus la solitude, il y a une musique, il y a nous deux et un petit ballon excité fait rebondir nos prénoms jusqu'à tout le temps,

Sébastien Laurence Laurence Sébastien
Sébastien Laurence Laurence Sébastien
Sébastien Laurence Laurence Sébastien.

Nous rions de rire aux mêmes éclats et l'intérieur de ses joues est l'endroit le plus complet qui soit.

Nous advenons, quel miracle. Il me tient par le cou et donne à mes oreilles des secrets doux. Des poèmes me poussent dans les doigts.

J'avale tout en une seconde,
ma bouche trou,
ma peau éponge.

Ensemble nous allons dans la forêt. Toutes les chansons ont été écrites pour nous. Il court et je l'attends à notre arbre, une halte pour les baisers à chaque tour, dans mon carnet je note ses temps de passage et des poèmes que je lui envoie – une liasse par semaine, j'en brûle les bords –, ses jambes repartent et me reviennent, étendue dans l'herbe je le dessine sur un nuage, mon ange, du bout de mon index.

Sa tendresse est la mer que j'attendais pour savoir nager. En deux foulées il arpente mon territoire, j'ai ouvert tous les cadenas. La joie cascade dans nos ventres, toute la vie est un lit de feuilles où nous nous allongeons.

Sébastien est un escabeau sur lequel je grimpe pour voir plus loin. Sébastien est une course. Il se jette dans mon souffle et court sur ma peau. Il prend mes élans. Son insistance est toujours d'accord avec la mienne. J'ai peur mais je n'ai pas peur. On se mouille les bouches, on s'avale les soupirs, on se lèche avec des petites flammes. Je m'accroche à ses cuisses, il accélère dans mes virages, tous mes vides il les comble. À la ligne d'arrivée, nous nous écroulons dans la neige, les bras en croix. Son sourire, ma victoire, je le dévore.

Je collectionne nos frissons, il dit qu'il m'aime, dans ma tête c'est symphonie de moi aussi.

Lorsque je rentre, mon père a déjà terminé son repas, une tranche de jambon, quelques patates, du fromage, son mauvais vin de solitude. Mon cœur bondit de partout, ça éclabousse un peu. Je nettoie la table. L'éponge sent toujours l'absence de ma mère mais il y a longtemps que je ne la renifle plus, je la passe entre son verre et ses bouteilles, il a horreur des miettes qui collent à sa main.

Il y a une seule sorte d'évidence : Sébastien.

J'emmène mon père voir une course que Sébastien gagne. Ils se serrent la main solennellement. Ils ont l'air contents et mon père dit Sportif, le type, c'est une admiration et c'est amusant.

Nous ne parlons jamais d'elle.

La nuit tombe sur nous comme la neige dans les champs, lourde, belle, respectueuse.

Nous dormons parfois ensemble et je l'écoute dormir. Jamais je ne lui dis que je l'aime. Dire Je t'aime, c'est se souvenir d'un temps où je ne t'aimais pas, c'est envisager celui où je ne t'aimerai plus. Dire Je t'aime serait donner une fin à l'amour.

Je lui donne l'infini silence de mon amour.

Il m'accompagne chez mamie Poulet. Je joue aux dames avec elle, je la laisse gagner. Elle a changé. L'enveloppe est la même mais l'intérieur semble en désordre, elle n'est plus si bien rangée qu'autrefois. Souvent je la surprends à parler toute seule, de choses que je ne comprends pas. Elle ne quitte plus ses lunettes noires, la lumière est toujours trop forte pour ses yeux désormais, ça lui donne un mystère d'aveugle.

Elle trie les photos. Elle veut mettre à jour ses albums. Dans des boîtes elle place celles qu'elle ne choisit pas, elle me les fait descendre au sous-sol, puis elle les remonte et fait un autre choix, refait les albums, refait les boîtes, rien ne se jette, tout se conserve.

Nous mangeons des glaces.

Le potager continue de produire en quantité, peu importe que la famille soit toute clairsemée maintenant, même mon père ne vient plus, trop difficile pour lui, cette mère qui s'escamote. Mamie Poulet s'en moque. Elle enfile la veste morte de papy Raymond et rentre toute grise du jardin. Les légumes finissent en bocaux, serrés en soldats oubliés sous la poussière des étagères de la cave.

Je montre à Sébastien ma collection de branches cassées. Il faudrait que je les brûle mais je ne les brûle pas. Mamie me parle. De quoi ? Aucune idée mais j'aime la musique de ses monologues et la pierre ponce qui douce toujours sa peau chèvrefeuille.

Elle dit que je parle comme ma mère. Les intonations, les silences entre les mots, nos syllabes sont de la même famille.

Sébastien trouve à ma grand-mère des airs de vieille reine écervelée. On ne sait jamais si elle sourit.

Quand nous repartons, elle nous donne un bocal de haricots verts, deux pots de confiture et glisse un billet de 100 francs dans ma main, Reviens vite me voir. Le temps pour elle est une succession d'attentes et de départs, de promenades au barrage et d'horaires de car.

Je ne monte plus à cheval, Pacotille est morte l'an passé. De son crin, j'ai fait une tresse que j'enroule autour de mon poignet et des pinceaux très fins avec lesquels je peins mes fantômes. Je suis celle qui peint les fantômes et Sébastien est le plus beau des modèles.

Toutes les nuits qui ne dorment pas, je le dessine de mémoire, les courbes renversantes de son dos. Si j'osais, je rejoindrais par les toits sa fenêtre ouverte. J'aimerais ça et lui dire bonjour, odeur de café, ouverture des rideaux, le soleil inonde ta chambre, bonjour je suis là j'espère que tu t'es reposé. Cela serait simple comme tartines de beurre.

Les yeux du hibou me protègent. J'entends le souffle triste de mon père dans le salon, Malheur couché à son flanc.

La nuit lave mes colères mais pas mon chagrin.
Je me lève épuisée aux mini matins.

Le premier été arrive et la dernière journée avant le départ en vacances. Nous marchons dans la forêt, la sueur dessine un sentier de montagne sur sa tempe, je m'y promènerai toute la vie et toute la mort, nous serons deux fantômes amoureux, et Joie toujours entre nous, à trois nous la faisons voler en la propulsant de nos bras.

À la fontaine, nos langues se cherchent fraîches. La sienne a le goût des framboises. Il lisse ses cheveux en arrière, nul mot n'existe pour dire Sébastien.

Je lui dis Au camping, j'écrirai des poèmes pour toi, je te les enverrai chaque jour. Il est à contrejour, il me faut plisser les yeux pour ne pas être éblouie. Derrière le balai de mes cils des molécules dorées flottent, toute une pluie chaude nous enveloppe. Je veux, ô comme je le veux, que Joie d'or toujours vaporise tout.

Il me raccompagne, il picore à ma peau des petits baisers serrés, au revoir cou, au revoir joues, au revoir yeux, au revoir lèvres, au revoir langue, au revoir tout, et je finis par fermer la porte. Lorsque je me retourne, Peur est là.

> *Qu'il m'oublie*
> *Qu'il meure*
> *Qu'il disparaisse*
> *Partout Peur, tout le temps Peur.*

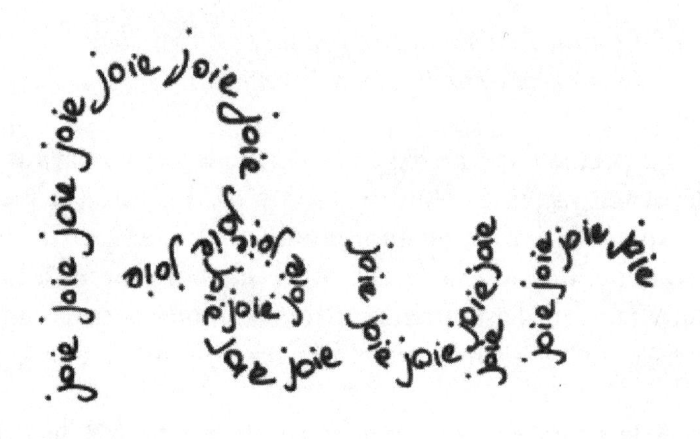

Nous partons au camping, papa, mamie Poulet, tante Mimi et moi. Nous sommes une famille à trous désormais et je fais voyager sur mes genoux l'absence de Sébastien. Chaque jour, au courrier, notre case est vide. Je lui envoie mes poèmes, je reçois ses silences. Je les ramène sous ma tente, tenus serrés dans mes paumes glacées. Je les étends à côté de moi, bien étalés, Peur m'aide en les tenant dans les coins, je les regarde longtemps dans la lumière grise, yeux rouges du hibou, paralysie de tout.

J'oublie qu'il m'est interdit de pleurer.

Mimi gagne sa course, ils ne sont plus que sept à courir dans sa catégorie d'âge, elle dit Je gagnerai même en fauteuil roulant. Mon père reste assis devant la caravane toute la journée et mamie Poulet aussi, ses jambes la font souffrir. La fille d'à côté est là, elle sort avec le fils du camping. Un Hollandais me joue des yeux, je ne quitte pas mes lunettes de soleil.

Peur ne me lâche pas. Le jour, la nuit, toutes mes minutes sont les herses de son royaume. Elle me traîne dans son château, elle m'ouvre les cachots où il m'échappe, brûlé dans Incendie, broyé dans Voiture, foudroyé par Maladie, mort, toujours mort. Surexcitée, Peur lape mes odeurs froides puis elle me fait monter jusqu'au trône d'Effroi, son père, pour me montrer le pire : Sébastien heureux d'une autre, une Jolie qui sait rire et nager.

Il y a un bal au camping. Je mets ma jupe. Le Hollandais cherche ma bouche. Il dit que je suis belle, sous sa tente je ne vais pas.

Au retour des vacances, c'est un miracle, Sébastien est là qui m'attend, assis sur les marches de notre immeuble. Sa peau brune, ses odeurs de champ doré, le sourire qu'il dépose dans ma bouche, les Tu m'as manqué qu'il mouille sur ma nuque, Sébastien me revient et ce sont nos retrouvailles spectaculaires.

Je suis un chiot, il rit en embrassant mes yeux, je lèche son museau. Joie saute à nos mollets.

Il dit Ma Laurence, mon ruisseau.

Nous parlons tard dans le noir, de choses papillons. Je ne lui dis rien de l'armistice que célèbrent mes entrailles mais en s'endormant il murmure : Il ne faut pas t'inquiéter.

Il sait.

D'où lui vient-il qu'il sait ?

J'apprends que Sébastien est un va-et-vient, son courant alternatif me torture. Il me délaisse pour mieux me retrouver, ainsi tournoie notre valse. Je suis de celles qu'on abandonne, il est de ceux que rien n'attache. Disons que nous sommes faits l'un pour le trou de l'autre. Je commence une collection de ses disparitions.

Je me couche en serrant dans mes poings ses absences. Même quand je décide que c'est fini de penser à lui, je pense à lui, une prière pour me dire que quelqu'un est là pour moi. Au pied de mon lit, Peur dévore ce que j'adore. Elle tapisse ses artères de mes souvenirs sucrés. Elle lèche ses doigts. Le jus de nous coule dans son cou. Saleté de tout. Elle est mon ogre tyrannique, je suis son esclave à genoux.

Je me rebelle. Pour assécher Peur, je dois tuer Joie, faire taire Amour. Je lui dis que l'on se quitte, il n'en croit pas un mot, il m'embrasse, il a raison, nous ne nous quittons pas. Je retourne dans le piège, je suis le piège.

Hier, il a dit Allons à la piscine demain à l'heure de l'ouverture, je t'apprendrai à nager, fais-moi confiance tu y arriveras. Je me souviens, il a ajouté en enroulant mes cheveux autour de son doigt, toujours il fait ça, Je passe te chercher très tôt, nous serons les seuls dans le bassin.

Midi est passé, le soleil flamboie déjà la façade du bâtiment B, il n'est pas venu, n'a pas prévenu, chaque heure alourdie par Peur-compte-double.

Lui mort, ses paupières bleues.
Lui mort, ses côtes creusées.
Lui mort, ses joues vidées de nos baisers.

En bas, la mère de Sandrine rentre du travail. Elle est de nuit cette semaine. À l'aube j'entends le frottement de ses pas au-dessus de mon insomnie.

Elle tire son corps usé, un chariot, mille pierres. D'ici je vois les racines grises de ses cheveux, le blond sableux de leurs pointes. Quarante ans, déjà vieille, est-ce que ma mère lui ressemble ?

Des enfants jouent au football, ils crient qu'ils sont Platini et Tigana. Je voudrais qu'ils se taisent, je ne veux pas rater mon attente.

Au bout du parking, le virage reste vide du vélo de Sébastien. La journée se remplit de son absence. J'ai froid malgré cette chaleur de goudron ondulé qui s'élève du bitume.

Je suis l'abandonnée qui te demande
Tends à ta pitié mon seau percé

Cogne à ta porte ouverte
Ma coupelle trouée

Il me manque partout.
Elle m'a laissé ça en partant, un corps de famine.

J'exerce toujours la méthode des larmes retenues, personne ne sait le chagrin qui chemine en moi. Il a creusé des grottes souterraines et chanté des échos noirs à faire frémir la ronde des fantômes. Son flux érode toutes mes fondations, mes piliers grignotés et mes poésies d'orphelinat.

Les abandonnés n'ont jamais assez
Leurs cœurs sont des cavernes creuses
Où ne résonne aucun Attends-moi
Entre leurs doigts l'eau, le sable

C'est comme tomber du dernier étage de la plus haute tour, lentement comprendre l'inéluctable qui vient. Maman est là quand je tombe, elle fume, ses sourcils en arcs de cercle, elle me regarde passer et elle dit Tiens ma petite chérie, comment va ?

Et c'est peut-être sa voix aussi qui me dit, je ne me souviens plus de sa voix, sa voix qui me dit :

— Il n'est pas venu. Je t'avais bien prévenue.
— Arrête de me parler, c'est fini de t'écouter.
— Il n'est pas venu.
— Il viendra.
— Comment peux-tu en être certaine ?
— Je le sais. Tais-toi.

— Tu fais quoi ?
— Je l'attends.
— Et pour lui ? Tu fais quoi pour lui ?
— Je laisse des choses invisibles qu'il reconnaîtra s'il vient. Laisse-moi, merci.

Demain il sera trop tard pour aller à la piscine, demain je retourne à l'usine pour les deux mois d'été, à l'assemblage, comme elle autrefois. Le premier jour Nicole a détaillé mon visage, Mon Dieu c'est pas possible ce que tu lui ressembles. Elle parlera de moi à la direction, Nos enfants sont prioritaires à l'embauche, tu auras ta place ici.

Je ne veux pas user mes mains à leur ferraille ; dans le vestiaire où je pends mon gilet, il n'y a aucune trace de ma mère, juste une peinture grise qui rancit un peu plus mon sommeil.

Souvent, la sensation que je flotte, mon corps est une barque qui m'éloigne de leurs rives.

Sébastien ne vient pas. Les enfants sucent des glaces à l'eau, ça dégouline sur le macadam.

Je me récite chacun de ses Je t'aime, conservés archivés empaillés, collections mentales, inventaire pour faire taire Peur. Je noircis mon cahier, mon endroit de chiffres droits, de vers à l'envers. J'écris des séries de nombres négatifs, tout ce qui se retranche lorsqu'il m'absente. C'est creuser jusque de l'autre côté de la terre, cela ne s'arrête jamais. J'atteins les profondeurs polaires du rien.

T'aimer, c'est comme aimer le vent
Et tu sais mon épicéa,
qu'étreindre le vent, on ne peut pas.
T'aimer c'est te perdre tout le temps.

Je suis la plus fine nervure de la première feuille cachée sous mon lit, ou bien une coquille dans la neige, seule, dérisoire et minuscule. Même Peur me fuit. La nuit les fleuves emportent aux océans les ombres des arbres. Quand je saurai nager, j'irai au fond des rivières, j'en suivrai le cours par en dessous, je connaîtrai tous les passages.

Je suis ville fantôme
Dans mes rues nues
Hurle vent coupant

Une femme rentre en mobylette. Elle ne porte pas de casque, elle est belle. Une petite fille pleure, on l'a mise torse nu, son ventre rebondit sur une jupe à volants.

Il y a une différence aujourd'hui. La lumière peut-être, jaune. Elle écrase tout, brûle les détails, ne préserve que les contours, les lignes. Quelque chose ne se passe plus.

L'amour se réalise et s'évapore en même temps.

L'assouvir, c'est le diminuer. Être raisonnable, c'est l'enlaidir. C'est se mordre à la bouche adorée. Nous perdrons quoi qu'il arrive.

J'ai essayé, tu sais, j'ai essayé et voilà le passé qui borne notre histoire, en un auxiliaire la clôt.

Ce fut une histoire, un passé simple et émouvant comme nous.

J'ai bu trop vite, j'avais si soif.

J'ai bu si vite qu'il n'y a plus rien à boire.
J'avais si soif, j'ai vidé le puits.

Je ne sais pas combien de temps dure cette patience. Le temps de l'attente est élastique. Une heure peut passer en une minute. Dix ans, deux mois et cinq jours en une seconde à peine. C'était le dernier jour avec elle, elle le savait, pas moi.

Je me souviens de tout.

Ses sabots, son pantalon haut sur sa taille, le maquillage clair sous ses sourcils de clown blanc, son pinceau piétinait sur la toile, elle répétait cette phrase, Ne bouge pas, si tu bouges je te rate. Si tu bouges, je te rate. Ne bouge pas. Si tu bouges, je te rate.

C'était le dernier jour de pose pour le tableau et son dernier jour avec nous, son dernier jour avec moi, elle le savait, pas moi. Le pull me tenait trop chaud mais je faisais de mon mieux, maman, pour que tu ne me rates pas. D'après photo et d'après modèle réel, tu disais, ce sera plus juste. Presque pas, je n'ai bougé. J'ai été sage, tu vois.

Lorsque le tableau a été terminé, elle a dit cette chose qui m'est revenue après, Vous l'accrocherez dans la salle à manger quand il sera sec. Dans son vous il y avait son départ, dans son vous il n'y avait déjà plus son je, elle le savait, m'aidait à enlever mon pull et rebouchait ses tubes, sans rien dire d'autre que Vous l'accrocherez. Comment a-t-elle pu me laisser ?

Une soif qui se cogne au puits fini.

Mes yeux tout écorchés de larmes.

Il fait si chaud que se forment des flaques sur le parking, des oasis sans palmier. J'essaye de me souvenir de ma vie avant lui. Tout me revient en une seule vague : le vide de ma mère qui m'étouffait.

Je ne sais pas aimer. Je sais juste attendre.

Il était une feuille blanche, je dessinais dessus.

Le parking est épuisé par mon attente.

Il n'y a pas la place pour deux absents en moi.

Je suis tous mes manques et maman est ma pénombre.

Tout est flou maintenant, complètement roué de soleil. Au bout du parking une silhouette qui peut être celle de Sébastien s'avance, les bras nus, la tête offerte à l'été. Mais elle s'éloigne en s'approchant. Oui, elle est tout à fait lointaine à présent et c'est ma mère sur ses sabots que je vois.

Aujourd'hui ressemble à une absence habituelle. Aujourd'hui pourtant, rien n'est pareil. Dehors, juillet s'amuse avec la peau de Sébastien qui marche comme un roi en ma direction. Aujourd'hui je ne lui ouvre pas. Aujourd'hui je ne demande plus. Abandonner avant d'être abandonnée, blesser pour ne pas souffrir. Aujourd'hui je pars.

Je vais chercher ma mère.

Michelle, 1977-1978

Elle cherche une phrase qui dise Bouge, fais-nous dévier.

Elle compte jusqu'à trois, le feu va passer au rouge, la même seconde qu'hier, que demain, compte jusqu'à cinq, une phrase pour dire Bouge, saute, casse un carreau, danse, tords-toi les jambes, ce que tu veux mais bouge, ne croupissons pas dans ce toujours recommencé.

Elle cherche la phrase qui dit Déplace-moi.

Le boulevard circulaire est un ruban à quatre bandes sales, deux vers l'est, deux pour l'ouest, un manège bien réglé qui amène chaque matin les mêmes corps aux mêmes machines. Michelle veut l'Ouest puisque l'Est gît là, immuable sous ses pieds. Une phrase, Bouge, braque une voiture et pousse sur l'accélérateur jusqu'à déchirer le cercle. Ensuite, elle sait. La route la portera comme un fleuve, elle n'aura qu'à se jeter dans l'estuaire.

Serge n'attend pas sa paume pour s'engager sur le passage piéton. Il faisait ça au début, elle se souvient de la petite décharge. Un frôlement et elle l'aimait de toute sa main, chaque doigt fier d'être ainsi désigné, un parmi tous, désiré comme l'unique. Elle enfonce ses poings dans les poches de son blouson, les jointures à peine soulagées par la nuit, et le laisse prendre de l'avance. Le bus est ponctuel, par quel miracle ne le serait-il pas, qui déverse sur le trottoir lorsqu'elle l'atteint les filles de l'atelier.

Devant la grille de l'usine Serge fume la deuxième cigarette avec les copains du troupeau. Elle les rejoint, tremblante de l'aube grise et de la phrase avalée.

Il dit On se revoit à la débauche.

Le soir, elle sort la vieille mobylette de son père, au moins six mois qu'elle ne l'avait prise, le prétexte est sans importance, elle n'en a pas pour très longtemps, elle longe l'usine et atteint les grands immeubles du bout du boulevard, après le feu elle ferme son blouson et accélère dans la ligne droite, elle dépasse le bowling, son parking vide, la piscine, sa silhouette de paquebot délavé, le supermarché laisse une trace de couleurs baveuses sur sa droite, les néons comme des tubes de peinture crevés, elle accélère encore. Il faut qu'elle le fasse.

La bise donne des coups de poing dans son blouson, elle est frigorifiée, en quelques minutes elle quitte la ville. Tête dans les épaules, elle bifurque sur la route qui monte au plateau, c'est une petite départementale, elle tourne encore l'accélérateur et le deux-roues tremble sous la vitesse qu'elle lui impose. Il fait nuit, les réverbères sont derrière elle, seuls s'éclairent les pointillés qui partagent la chaussée déserte. Quelques maisons au loin, une lumière jaune troue parfois leurs façades éteintes. Elle s'éloigne de la zone habitée. L'heure de rentrer chez soi est passée depuis longtemps, elle ne croisera pas grand monde. Les nuages cachent la lune, c'est encore mieux, une pénombre de première fois.

Elle coupe son petit phare et tout est noir, Michelle comme le reste. Fondue, disparue, elle est un morceau d'obscurité. Sa mobylette devient projectile invisible dans la nuit. Les hautes herbes sur le côté de la route ne se froissent pas à son passage, elle est des leurs, particule du mouvement, comme les arbres, le nuage, le grain de l'asphalte. Elle commence à chanter doucement. La chanson dit qu'elle appartient à l'instant.

La mobylette est ancienne mais son moteur tient bon. Chaque année, Joël le vérifie. De leur père il ne leur reste que ça, ce cahotement qui le conduisait à l'usine chaque jour, cette selle tannée, l'odeur d'essence de leur enfance et le lacet en cuir qu'il avait accroché à la poignée droite.

Elle approche de l'endroit où la vallée bute contre le mur noir de la montagne. La nuit se durcit, le ciel est tout petit.

La maison où elle a grandi jusqu'à ses treize ans est en haut, une chambre pour eux quatre et une cuisine sans lumière, les deux petites pièces serrées l'une contre l'autre au rez-de-chaussée de la bâtisse grise, plus personne ne semble y vivre, les volets toujours fermés, l'humidité leur mangeait les os. Il y a cinq virages, les deux derniers sont les plus serrés.

Elle se souvient des bulles d'excitation dans le ventre quand pour la première fois le père leur montre comment le faire. Il dit On a la veine d'avoir des beaux virages à gauche par ici, on peut les couper proprement, et les deux enfants ressentent une fierté de propriétaires. Puis il les fait monter derrière lui. Ils sont si maigres qu'on pourrait en mettre un troisième entre eux. Joël s'inquiète un peu des freins, pas Michelle. Bien accrochée à la taille de son père, elle n'a peur de rien. Ils sont les rois de la chance, ça se voit sur leurs fronts.

La veine d'avoir des beaux virages à gauche, elle l'a gardée dans la main qui tord la poignée de l'accélérateur dans la dernière ligne droite. Le moteur est à son maximum, il hurle ses limites. Un jour elle apprendra à Laurence à le faire. Pour couper le virage, il faut se concentrer, ne penser à rien d'autre qu'à la route, la machine, la trajectoire. Il y a un endroit dans la courbe où tout coïncide, la vitesse, le corps, l'équilibre. Il y a un endroit infinitésimal où l'on est exactement à sa place.

Le faire, c'est essayer de le retrouver encore.

Longtemps après la mort des parents, elle a eu l'idée de le faire sans casque, sans lumière, sans rien entre elle et sa place. Chaque samedi soir, en rejoignant les autres au bal, elle le faisait. Puis au retour : le refaisait. Couper les virages comme on dégringole une piste enneigée, une courbe après l'autre, le poids de son corps balancé d'un côté puis de l'autre, fluide et juste. Elle oublie le danger. Mieux : elle l'augmente, elle l'accélère pour attraper la trajectoire parfaite, parfois s'éblouir des phares des automobiles effarées.

Couper le virage, le traverser en ligne droite, au plus court, au plus pur, c'est jeter pour quelques secondes sa mobylette sur la voie opposée – libellule tremblotante d'autoroute. Tu doutes, tu meurs, disait son père.

Elle a emmené Serge une fois. Une voiture les a frôlés. Il était blême lorsqu'il a mis le pied à terre, Ne recommence jamais. Elle a promis, tricotant un mensonge sur son secret.

L'ascension commence, le chœur du vent lui tourne autour comme les jappements d'un chiot. Tout vibre, les sacoches de la mobylette claquent, elle a quinze ans, elle a dix ans, elle a tous ses âges, elle a sept ans, elle se jette dans la pente en vélo, dans l'autre sens, depuis la maison jusqu'en bas il y a deux kilomètres qu'elle dévale en pédalant la bouche ouverte, le vent fait un bruit de machine dans ses oreilles, un bruit d'avion ou de fusée, elle rit par-dessus le vent ; souvent elle oublie de freiner, ses bras et ses jambes sont couverts de cicatrices, un été elle s'est cassé le coude ; son jeu préféré, son pari à gagner : au milieu de la descente fermer les yeux chaque jour un peu plus longtemps que la veille, parfois elle triche et compte les secondes à toute vitesse, mais chaque jour un peu plus longtemps.

Elle mord l'intérieur de ses joues.

Son corps est tout entier dans le poignet droit. Elle pense une chose : dès qu'ils auront un peu d'argent, elle passera le permis de conduire pour le faire en voiture, oui elle aimerait ça, les couper en voiture.

Voilà le premier virage.

Il est magnifique, tout ouvert devant elle.

On dirait un corps qui l'invite.

Elle s'incline légèrement sur la gauche pour filer tout droit, elle trouve l'endroit immédiatement, elle devient un point de la ligne, un fragment du déplacement. Elle est un morceau évident de vie. On pourrait utiliser le mot harmonie.

C'est idiot, derrière les larmes minérales que le froid arrache à ses paupières il lui semble voir son père. Il est un fantôme, une respiration sur la vitre, il la regarde fièrement, C'est bien, tiens ta courbe, impeccable. Elle n'avait pas prévu de refaire le pari mais puisqu'il la regarde elle ferme les yeux et compte jusqu'à trente. Le mot harmonie.

Il y a trop de bruit. Elle n'entend pas le klaxon de la camionnette, elle garde juste ses yeux serrés sur son pari de petite fille. Combien de secondes ? Elle ne sait pas, le temps n'est pas le temps quand l'on coïncide.

Lorsqu'elle les ouvre : la camionnette est face à elle, sa gueule de bête méchante, le visage horrifié du conducteur. Il appuie encore sur son klaxon, l'écho répercute le son loin dans la vallée, peut-être jusqu'à la ville, peut-être jusqu'à Serge qui fume son avant-dernière cigarette de la journée à la fenêtre du salon, peut-être jusqu'au lit de Laurence qui rarement s'endort avant minuit.

L'instinct la conduit à freiner de tous ses muscles. Sa roue arrière gicle vers la gauche, tout est déséquilibré, la belle trajectoire explose, elle s'envole vers le talus, ses membres se désarticulent. Avant de tomber, et son corps fait le bruit d'un sac de grains qu'on jette sur d'autres sacs de grains, elle pense à un feu d'artifice, une sorte de fête. Tout est au ralenti, tout est en vie.

Elle connaît le conducteur, c'est un de leurs voisins, l'électricien du bâtiment B. Il crie, il pleure, il a eu si peur. Elle dit Non ça va, faut pas s'inquiéter. Elle se relève, elle est debout, elle est entière, elle est un miracle au blouson à peine déchiré. Sur sa jambe l'herbe colle au sang. Elle rit, ils tremblent. La mobylette ne redémarre pas. Ils la chargent à l'arrière de la camionnette. Michelle tremble encore longtemps et ce n'est pas le froid mais la peur d'après ou la joie de l'avoir refait. Non, elle sait : c'est la vie qui la fait trembler.

Jusqu'à leur immeuble, il continue de raconter l'accident, il a besoin, pendant des jours il en parlera, à tout le monde il racontera sa frayeur quand elle a surgi au milieu de la route toute noire, sa mobylette comme un moustique dans ses phares jaunes ; elle l'écoute à peine, elle ne veut pas se laisser voler l'instant par l'accident, elle regarde par la fenêtre les herbes éteintes, la masse fantôme du bowling et les réverbères pâles du boulevard.

Ils montent ensemble les quatre étages, elle derrière, tête baissée. Il dit à Serge Elle roulait à contresens et sans lumière, je l'ai évitée de justesse, j'aurais pu la tuer. Elle hausse les épaules, J'ai juste voulu couper le virage, rien de grave.

Laurence s'est relevée, elle ressemble à sa mère, c'est frappant dans ses réveils. On l'envoie se recoucher. Les deux hommes prennent un café, Michelle va s'allonger. Lorsque Serge la rejoint dans leur chambre, elle fait semblant de dormir. Il ne demande pas pourquoi elle l'a encore fait.

Il y a une assemblée générale au réfectoire. Toutes les filles de l'atelier, Michelle comme les autres, quittent la blouse le temps de descendre, ne pas se présenter en interchangeables à la lutte. La petite troupe piétine à l'entrée de la cantine, aucune n'ose être la première à y pénétrer. Le patron veut supprimer dix minutes de pause.

Le réfectoire est d'une chaleur animale – et les fenêtres qu'on garde fermées. Près des cuisines, elle aperçoit Serge et ceux de sa ligne, il lui adresse son fameux sourire lèvres serrées. Un contremaître passe une tête, il se fait huer. On s'organise pour dégager les tables contre les murs et empiler les chaises dans un coin, les filles de la découpe distribuent des cigarettes, la pièce n'est plus qu'un brouillard dense d'excitation, comme si toute l'usine, ses ouvriers, ses machines et son histoire, était concentrée dans ce bocal étouffant.

Les représentants syndicaux montent sur des tables, Nous irons à la grève s'il le faut pour sauver notre droit à la pause, nous ne bougerons pas tant que la direction n'aura pas renoncé. Un vote est organisé, toutes les mains se lèvent, dizaines d'insectes voletants, presque des calicots déjà.

Un copain de Serge siffle entre ses doigts, une joie brutale les enchante, Michelle comme les autres, à applaudir bruyamment leur bravoure revenue, elle sourit aux filles, elles se sentent droites et assez belles, mais c'est un mensonge d'applaudissement qui fait battre ses mains et Michelle le sait bien qui ne voudrait rien tant que partir loin des pauses, des droits acquis, loin de ces gens, les siens, qui réclament le rien ne bouge.

Quand on naît ici, on grandit ici, on meurt ici.

C'est aussi simple que tout ce qu'on n'a pas besoin de formuler. On se fait croire que les bois, les champs, les étangs, le ciel, les mobylettes, l'eau de vie sont une liberté, mais appartenir à cet endroit, en être la propriété exclusive, impose multitudes de ne jamais, nos cous offerts.

Les parents au cimetière, les cernes bleutés de Serge, ses cigarettes de la première à la vingtième, les quatre voies du boulevard, le rythme des feux tricolores, les murs de l'usine, les commères de la chaîne, la baguette bien cuite, la blague du boucher (Steak haché mais je l'ai retrouvé), les canalisations et les disputes des voisins, Laurence qui s'enracine en elle, Serge qui s'y plante, les arbres noirs, les dimanches midi et les lundis matin, toutes les pluies et les oiseaux résignés, tous disent à Michelle Ne te fatigue pas à te détourner de nous, nous te reconnaissons, regarde comme nous sommes pareils à toi, pourquoi te refuser à ton destin de fille d'ici, fille d'en bas, fille de l'Est ?

En juin, dans la lumière rasante de la fin de journée, les champs de blé tendre font des mers brillantes, des océans dorés que Michelle sait traverser pourtant, ses yeux plissés jusqu'à toucher d'un cil l'endroit où le soleil se couchera.

Si loin vers l'Ouest, sa vie.

Elle veut faire réparer la mobylette. Elle téléphone à son frère. Joël dit Je vais voir ce que je peux faire, il faudrait me l'amener un dimanche ; demain, je peux. Joël est mécanicien en Suisse, à une heure et demie de route de la ville. Ils se voient rarement, ils ont peu à se dire.

Dans la salle de bains elle se maquille. Du vert pâle sur les paupières, un trait de khôl sous les yeux, elle épile ses sourcils en un fin arc de cercle, un peu de rose sur ses lèvres, on ne sait jamais qui on va rencontrer. Certains jours semblent faciles. Elle attrape son panier.

Elle n'a rien à acheter, elle veut juste marcher. Chaque samedi la même chose. Elle marche comme si quelqu'un, quelque chose, quelque part. Elle marche comme si tout l'attendait, ailleurs.

Lorsqu'elle croise son reflet dans une vitrine – une femme jeune, pas tellement une ouvrière, sa taille fine, ses sabots hauts, l'imprécision de ses cheveux retenus par un lien de cuir clair –, il arrive qu'elle voie une chanteuse américaine à grelots, descendante d'Indiens et fille d'étendues jaunies ; alors elle se redresse un peu, elle n'est pas Michelle Brûlebois épouse Grandjean, passée de l'ennui d'un bourg du plateau à la routine de l'usine, elle n'est plus cette trajectoire tracée par une machine paresseuse mais un vent libre qui pousse l'hiver vers le printemps et son prénom sonne Caravelle.

À l'arrêt de bus, elle croise Nicole, On a gagné, ils renoncent à nous supprimer la pause. C'est bien, dit Michelle, c'est bien. Elle pense Je n'appartiens qu'à moi.

Elle demande à Serge de la conduire en Suisse, C'est pour la mobylette, Joël pourrait demain. Il pose ses couverts sur la table. Pose sa serviette. Pose ses mains à plat. Il crie Mais tu penses vraiment qu'on va la réparer ? Elle crie C'est tout ce qui me reste de mon père, je ne fais rien de mal. Il crie Tu aurais pu te tuer, je veux te protéger, tu ne comprends pas ? Son visage en masque polaire. Laurence a peur. Elle cesse de jouer avec la mie de pain et bouche ses oreilles. Ils ne le remarquent pas.

Michelle quitte la table, elle voudrait la renverser, tout jeter par la fenêtre, la mauvaise vaisselle et l'abat-jour en laine, le pot en grès et le chaton de porcelaine, toute la vie la jeter et recommencer.

Serge tente d'agripper son bras.

Elle dit, et son regard est un poignard, Je ne veux pas qu'on me protège, je veux qu'il se passe quelque chose.

En fin d'après-midi, comme chaque semaine, ils partent chez les parents de Serge. La voiture grimpe jusqu'au plateau. Au moment où ils atteignent le premier virage, là où elle l'a fait la dernière fois, Serge allume une autre cigarette, elle tourne la tête, ils ne disent rien.

À peine arrivés là-haut, ils laissent la gamine aux grands-parents et rejoignent les autres. Café, bal, ivresse, dilution de tout. Au petit jour sous les images pieuses de sa chambre d'enfant, il l'attire contre lui. Les cicatrices sur les jambes de Michelle dessinent un chemin bosselé sous les doigts de Serge. Elle dit Embrasse-moi, s'il te plaît.

Ils se lèvent tard. Simone a passé la matinée à préparer le déjeuner, toujours le même : une salade de betteraves rouges, un poulet rôti, des frites et, en dessert, des parfaits glacés. Chaque dimanche, des parfaits que Laurence distribue, elle se prend pour une maîtresse d'école, et chaque dimanche la plaisanterie de Serge : Un parfait, c'est parfait.

Laurence demande Est-ce qu'on t'appelait maman Poulet avant que tu deviennes une grand-mère ? et ça les fait rire. Non, c'est toi qui m'as donné ce surnom, mamie Poulet, personne ne l'avait trouvé avant toi. Du dos de sa cuillère Michelle écrase la glace, attend qu'elle fonde et lape sans y penser la crème obtenue de cette tradition familiale plutôt douce, aussi immuable que faire le tour du jardin avec Raymond, tâter les fruits du verger, mettre du pain dans la soupe, nourrir les bêtes, écosser les petits pois en écoutant la radio, conserver les horaires de chemin de fer, feuilleter le catalogue de vente par correspondance et ne commander que des draps, acheter le calendrier des pompiers, nettoyer la caravane à grands jets, se laver les cheveux le dimanche soir, et, à Noël, goûter en grimaçant les huîtres que tante Mimi ouvre sur l'évier.

Ils font la vaisselle. À la cuisine flotte encore l'idée du poulet grillé. Dans la pièce d'à côté, Raymond regarde le tiercé et Laurence joue aux dames avec sa grand-mère, on l'entend dire Souffler n'est pas jouer, elle est fière. Serge prépare le café. En nettoyant les assiettes, ça la reprend, Michelle parle de déménager, Et pourquoi pas vivre à l'étranger ? On n'a pas grand-chose à perdre.

Il rit, Et pourquoi pas vivre à l'étranger ?, il répète en prenant une voix aiguë, Et pourquoi pas vivre à l'étranger ? Il rit à s'en étouffer, Mais pourquoi vivre à l'étranger ?, maintenant il la prend dans ses bras, ondulé par le rire, Vivre à l'étranger, mais pour quoi faire ?, son rire enrayé dans sa gorge, la toux du moteur un matin d'hiver, il rit et il cherche un baiser dans le mouvement de son rire parce qu'il comprend qu'il la blesse.

Elle se dégage comme elle le peut, les mains pleines de la mousse de la vaisselle, elle dit Je suis sérieuse.

Être d'ici et un peu plus suffit à Serge. Il porte des bottes à talons carrés et garde les cheveux un peu longs dans le cou, sa femme a du chien, il a quitté son giron de pâturages et de toitures pentues pour la modernité d'un trois-pièces-vide-ordures-chauffage-central, il fume en couvrant la cigarette de sa main en petit toit, c'est visible dans son ombre : il est le fils Grandjean descendu en ville, et cette descente est son ascension. Fut le mouvement.

Le café coule. Serge allume une cigarette, l'allumette gicle ses flammèches, il ne rit plus, Ou alors, quand on pourra plus à l'usine, on reprendra un bar par ici, et c'est une concession, presque sa défaite, qu'il lui offre. Elle préfère ne pas l'entendre dans le cliquetis des derniers verres qu'elle rince.

Il en est.

Pas elle.

Depuis toujours et partout c'est comme ça. Les jambes de Michelle agitées d'orties. Aucun endroit où elle puisse poser son corps sans chercher les issues, aucune place dont elle puisse dire Ici est ma place.

C'est une idée fixe, bouger, qui a fini par ne plus être une idée mais la totalité de ce qu'elle est, une idée sans y penser, plus importante que le plus important, une idée fixe et une différence avec Serge, de celles qui se découvrent longtemps après que les mariages ont été fêtés, un fossé sans pont pour le traverser.

Michelle a aimé la silhouette dos droit de Serge, son air insolent et triste, sa façon de la regarder par en dessous, elle a adoré comme il chuchotait Ma petite en caressant ses fesses, c'est pour l'impatience de son désir et sa douceur qu'elle a dit oui au curé, oui au maire, oui oh oui le prendre comme époux, oui oui oui plein de fois oui se donner comme femme, un clafoutis de oui et elle palpitait de joie aux premiers Madame Grandjean qu'on lui tendait.

Elle n'avait pas d'endroit où aller, Serge serait son pays. Elle s'y est installée en immigrée heureuse et méfiante comme le restent toujours les sans-terre : on ne déballe pas toutes ses affaires, on conserve sous le lit un baluchon au cas où il faudrait repartir. Le cas où.

La vaisselle est séchée. Elle étend le torchon humide sur le dos d'une chaise. Il faudra qu'elle téléphone de nouveau à Joël, lui demander s'il peut venir chercher la mobylette la semaine prochaine.

Après le café allongé de crème fraîche, toute la famille va au barrage du Châtelot, mouvement dominical qui toujours les ramène vers cette humidité de sapin, leurs os glacés été comme hiver. Le sentier monte jusqu'au grand barrage mais l'ascension ne les réchauffe pas. Michelle ferme sa veste.

Le barrage est un monstre immobile, une menace stagnante. Derrière la paroi haute comme deux immeubles, dans un silence affolant, la masse d'eau patiente comme on piétine. Admire, dit-elle à Michelle, regarde comme je suis plate et pourtant puissante, impassible et disciplinée jusqu'à ce que l'on m'ordonne de déferler ; alors je tomberai de toute ma force, j'écraserai le monde de ma hauteur, mon énergie sera irrésistible puissance, puis je remonterai, je m'évaporerai pour pleuvoir dans les cimes et revenir sinuer à travers les sapins, et je reprendrai ma place sagement dans la file, derrière le rempart, rassurante immuabilité qui fait tout revenir à son point de départ.

Laurence grimpe un cheval imaginaire qui souvent se cabre et la déséquilibre au bord de l'eau. À chaque fois, un sursaut brûle la poitrine de Michelle. À sept ans, la petite ne sait toujours pas nager. Une chute et elle la perd dans l'eau brune, une chute et la rivière linceul l'avale.

La mère et la fille arrivent les premières au point culminant. Laurence cherche des pierres. Michelle regarde le lac en contrebas du chemin, c'est presque voir ses premières fois sortir en ligne claire de l'eau des souvenirs, s'avancer d'un pas, se montrer jolies et la saluer d'une petite révérence. Au lac elle a fait ses premières brasses, soutenue par les bras fermes de son père. Allonge-toi bien, il disait, tant que tu es en mouvement tu ne peux pas couler, un peu fier de sa fille, de son corps long et ferme. Puis les mains de sa mère, elles frottaient le drap de bain sur son corps picoté de froid.

Par quel sentier ruissellent les souvenirs ? Vient à Michelle la mémoire d'une autre main – détourne les yeux de sa chair de poule d'enfant, ne pas confondre les peaux. C'est de l'autre côté, sur la rive ouest, là où le soleil se couche. Ils s'y installaient l'été avec les copains, mobylettes près des arbres, plongeons depuis le plus haut rocher, maillots de bain sous les pulls, pommes de terre dans l'aluminium, nuits blanches autour d'un haut feu, Californie au bord du lac.

C'était deux ou trois étés avant Serge.

L'oncle d'un des garçons de la bande était monté avec eux. Il était plus vieux, au moins vingt ans, elle ne se souvient plus de son prénom, tiens c'est étrange comme le prénom s'est effacé. Son regard lorsqu'elle sortit de la baignade, les cheveux plaqués en arrière et les seins de ses quinze ans durcis sous son petit maillot, son regard en revanche, à jamais s'en souvenir et immédiatement le comprendre. Elle savait déjà la main qui cheminerait sous sa couverture lorsque la nuit les prendrait près du feu finissant, guitares éteintes, demi-sommeil à l'aube. La douceur et la lenteur déterminée de ces caresses, ne jamais les oublier non plus, le souffle sur sa nuque, l'entendre longtemps après la fin de l'été, son corps faussement endormi, le revoir s'abandonner à la main, la laisser trouver le passage et écarter doucement le tissu et s'attarder un peu avant de continuer son chemin, ventre, seins, bouche. Cogne à ses tempes, hier, aujourd'hui, la valse du sang heureux.

Le barrage marque une frontière.

De l'autre côté, il y a la Suisse. Si ça tourne mal, on ira en Suisse, disent les gens d'ici depuis les premières guerres. Son père avait dit ça un soir, elle s'en souvient, lorsque les parachutistes d'Algérie menaçaient de sauter sur Paris pour renverser le gouvernement et Michelle voyait une table que l'on bascule – riait en l'imaginant.

On ira en Suisse si ça tourne mal.

Et si ça ne tourne pas ? se demande Michelle en jetant une poignée de graviers dans l'aplat à peine ridé de l'eau.

Michelle suit des yeux les brindilles que Laurence envoie dans l'eau. Elle voudrait que le barrage s'ouvre maintenant pour les emmener au loin.

Raymond la rejoint le premier, son corps d'arbre centenaire. Il sourit, peut-être. On ne sait pas. Sa bouche est en permanence un peu ouverte, personne ne veut imaginer qu'elle a donné des baisers, avant. Il ne dit plus rien depuis longtemps.

Ses parents auront au moins eu la délicatesse de mourir avant la vieillesse, lui écrasé par une presse à l'usine, ses os craquant comme sous les crocs du chien ceux du poulet du dimanche, elle broyée par le désespoir deux ans plus tard. Morts il y a si longtemps que ce n'est plus du chagrin quand elle y pense et ce sont les promenades en mobylette qui lui manquent et ses larges épaules aussi et elle a cinq ans, il est son cheval fou et son rire coule de sa bouche à en mouiller son menton – ou alors un chagrin de treize ans et demi, tu iras vivre chez ta tante jusqu'à ta majorité, ce genre de chagrin insolent qui se moque bien de la peine et veut aller danser avec les garçons en coupant les virages le samedi. Reste juste une puissante solitude, elle l'affranchit de tout ce qui amarre Serge.

Je pourrais avoir des lunettes de soleil comme mamie Poulet ? demande Laurence en constituant un monticule de branchages à jeter dans le barrage. Michelle dit Tu sais bien que non, c'est à cause de sa maladie, pas du soleil, et toi tu n'as pas de maladie. La petite prend un air boudeur, tout entière dans ses lèvres pêche de vigne, mon dieu qu'elle est belle. Belle à déchirer tous les cercles.

Simone et Serge les rejoignent et commence la descente du retour. Même le chemin sent l'usine, se dit-elle en balançant imperceptiblement son corps le long du paysage, elle le connaît tellement qu'il lui semble y être coulée.

Allez viens, on court à toute vitesse jusqu'en bas !

Le sentier est en pente douce, Laurence rit en le dévalant. Elle a gardé dans sa main droite un bouquet de branches vertes.

Après la promenade, ils s'arrêtent chez tante Mireille et oncle Jojo. Ils prennent un verre de sirop, Raymond répare un grille-pain, une chasse d'eau ou une fenêtre, mamie Poulet s'assoupit un peu devant la télévision et Laurence compte les coupes sur le buffet. Elles occupent plusieurs rangées, depuis le temps que Mireille gagne des courses, été comme hiver, à avaler les kilomètres sur les sentiers plats ou dans la neige molle du plateau. Ça fait rire Jojo le gentil, C'est une coureuse, ma Mimi, une coureuse de fond. Et elle, son sourire en rayons de soleil : Ça décrasse, courir, c'est ça surtout. Sur le radiateur du salon, sèchent ses longues chaussettes. S'élève une odeur de chien mouillé qu'aucune lessive ne couvre plus.

Ils vont reparler de l'appendicite et du Boche. Toujours c'est comme ça. D'abord commenter la dernière course puis revenir aux origines du miracle. Un chat somnole sur un coussin, Laurence attend sous la table que la journée commence, Michelle écoute vaguement la légende se redire, elle accroche son regard aux grains de poussière qui dansent au-dessus du radiateur. Elle pense que Raymond pourrait réparer sa mobylette, il faudrait lui demander discrètement, elle touche le lacet de cuir que son père avait accroché au guidon, elle l'a entouré plusieurs fois à son poignet. Il est si vieux, on dirait de la réglisse.

Mireille avait dix ans et un mal de ventre à réveiller toutes les bêtes du plateau, dit Simone, elle se tordait de douleur, allongée par terre dedans notre chambre, on aurait dit un serpent tout raidi, le père n'était pas content, l'étable tout entière meuglait à sa suite. Le médecin ordonna qu'ils descendent la petite en ville au plus vite. Preuve que l'heure était grave, les deux parents accompagnèrent l'enfant, laissant la ferme à leur aînée. Simone avait seize ans alors, c'était à la toute fin de la guerre. Elle était restée seule avec le prisonnier allemand, qu'ils appellent toujours Le Boche, c'est une insulte même s'ils disent derrière qu'on l'aimait bien, ce Boche. Simone laissée avec le Boche, la preuve qu'ils l'aimaient bien.

Michelle demande s'il était beau, Le Boche. Mireille ne s'en souvient plus très bien mais Il avait les yeux bleus, ça oui, certaine, et les yeux bleus ça rend gracieux.

Quand ils sont rentrés, dix jours plus tard, Mimi avait tellement maigri qu'elle n'occupait plus que la moitié de son lit. Elle est restée couchée encore un mois, ses yeux noirs mangeaient son visage, sa peau avait la couleur des morts. Chaque jour Simone ouvrait les rideaux de la chambre, un ciel vif entrait et Mimi se redressait sur le lit.

Un matin, enfin. Mireille s'est levée, titubant d'abord dans la maison, puis se hasardant dans la cour, bientôt marchant essoufflée jusqu'aux champs du haut. Le parfum terreux des prés, le jeu des mouches, les ronces aux papillons, la morsure de l'herbe aux chevilles : que tout cela lui avait manqué. C'est là qu'elle s'est mise à courir, n'a jamais arrêté. Plus vite que tous les garçons. Les vélos dans le talus. Un sourire pour respirer fort.

Dans la voiture qui les ramène vers leur dimanche soir, Michelle regarde le paysage. Une terre de pluie défile, de pluie barrée d'arbres noirs. Laurence chantonne à l'arrière. Serge fume, ils ont gardé les fenêtres fermées, épaisseur jaunâtre dans l'habitacle. Michelle pense aux saucisses qui pendent dans les tuyés du plateau, Nous serons pareilles à elles si rien ne se passe, fumées et bien grasses, bonnes à cuire à l'étouffée et à manger avec des patates. C'est une pensée, rien de plus, elle glisse avec la pluie que chassent les essuie-glaces.

Pas un geste, personne ne bouge. Juste du faux mouvement, ces gouttes qui tremblotent sur le bord du parebrise sans s'évacuer, ces mêmes histoires radotées pour nourrir l'illusion que le temps ne passe pas, faux mouvement la course de Mireille, d'une coupe à une coupe, d'une ligne à une ligne, une mobilité qui ne mène nulle part, le manège absurde de la chaîne qui l'attend quoi qu'il arrive, demain, six heures du matin.

Le seul mouvement que peut lui offrir cette vie advient entre ses reins une ou deux fois par semaine, le va-et-vient de Serge qui la cloue quand la fatigue ne les terrasse pas, et aussi, à l'instant, lorsque dans la côte qui descend de chez ses parents il accélère fort avant de prendre le dos-d'âne. Les bocaux de légumes de Simone s'entrechoquent dans le coffre et son cœur bondit dans sa poitrine, bondit si fort, il pourrait en sortir. S'il sort, elle le suit, ils ne la reverront pas. Michelle sourit aux gouttes.

Puis reprend l'immobilité, reine obèse qui les écrase.

L'eau glacée gicle sur ses doigts enflés, la sensation est celle d'une aiguille dans chaque articulation, elle en pleurerait. Je ne peux pas continuer, mes mains me font souffrir en continu, tu comprends ?

Elle est un peu insatisfaite, Michelle, voilà ce que pense Serge en se servant son apéritif, et elle a utilisé tous les glaçons pour soulager ses mains, jamais contente ou bien par effraction ; si intensément alors que sa joie efface tout comme une ardoise magique. Lorsqu'elle éclate de rire, des cailloux d'enfance entrent en éruption et une lave heureuse dévale leur coteau. Mais son rire est toujours un sursis, une minute sauvée.

Ce soir-là, non, toutes les minutes perdues, J'ai les doigts tordus par la douleur, regarde-les, et la peau des mains qui me brûle à force de les laver sans arrêt. Serge. Réponds-moi.

Il la prend dans ses bras, silencieux, c'est la seule chose qu'il puisse faire, cette manière de l'entourer et de la laisser seule dans le même mouvement. Lui ne saurait jamais dire s'il est triste ou joyeux. Il n'en demande pas tant qu'elle. La nuit, lorsqu'ils se cherchent les peaux, il lui arrive d'avoir peur de cela, son insatiabilité.

Un verre est servi pour le départ en retraite de Marcelline. Quarante ans de chaîne et elle pleure un peu sous ses lunettes. Les filles la plaignent, Pauvre vieille, elle va s'ennuyer maintenant, on lui offre un châle mauve et un bracelet en argent, elles se promettent de se revoir, Marcelline dit qu'elle viendra à la débauche de temps en temps, en rentrant des courses, pour prendre des nouvelles. En se retournant, Michelle fait tomber une bouteille. La flaque rouge du vin, tous les visages vers elle tournés, Oh que je suis maladroite, pardonnez-moi. Ce cratère qu'elle n'habite pas. Elle aimerait une fois rien qu'une fois participer naturellement à la chorégraphie du groupe, en être particule invisible et indispensable, être ici comme dans le virage. Coïncider.

Elle ne sait pas. Ce serait la réponse la plus honnête à Mais qu'est-ce qu'elle fait là ?

Elle passe du temps assise à la table de la salle à manger. Parfois elle peint une toile qu'elle copie dans le dictionnaire. La plupart du temps, elle ne fait rien. Elle est juste assise à la table. C'est comme si elle venait de s'asseoir ou comme si elle allait se lever, mais non. Si on lui demande ce qu'elle fait, elle dit Rien, je suis fatiguée.

Ils fêtent ses vingt-huit ans, Serge lui offre des boucles d'oreilles, deux clous auxquels sont accrochées des chaînettes en argent. Elle les trouve jolies, et lui aussi, tout tendre de son cadeau ; elle les essaye, Oh comme tu es belle quand tu remontes tes cheveux comme ça, attends, je vais faire une photo. Il escalade le canapé pour la faire rire, il va chercher l'appareil. Depuis qu'ils l'ont acheté pour la naissance de Laurence, ils le sortent peu, juste aux cadeaux, Noël, anniversaires, ce sont des jouets pour l'enfant, des poupées, des dînettes, des peluches aussi, et Michelle s'arrange pour prendre les photos, ils écartent les emballages froissés et figent leurs corps le temps de la pose, les regards si fixes qu'on les trouve souvent graves, Michelle colle ses lunettes à l'œilleton, ça fait bien trop de verre entre elle et la réalité mais elle s'en fiche, déclenchant au hasard, juste concentrée sur le souci de ne pas être photographiée, jamais.

Bien sûr elle n'a pas échappé aux photos de classe et jusqu'à la mort de sa dernière grand-mère à la pose de bonne année, traînés chez le photographe avec Joël, bien coiffés dents tombées chaussettes aux genoux, elle a souri le jour de leur mariage puis encore lorsque Laurence est née, ses cheveux fatigués et son ventre évidé. Mais depuis, rien. Pas une trace de Michelle à part celles que son doigt mouillé dessine la nuit sur la peau de Serge, petites marques d'escargot, des empreintes invisibles pour conserver la seule chose qui vaille, le chavirement de ces instants à peine vécus déjà évanouis.

Serge brandit l'appareil, un trophée, et dit Cette fois c'est moi qui te prends, ne bouge pas et montre bien tes boucles. Elle entend Ne bouge pas et aussi Boucle, mais boucle-la. Il ferme un œil et toute la gaieté se recroqueville sous sa paupière, rideau, ils pénètrent dans la zone froide, lui et son amour sourd, elle et sa peur électrique d'être fixée, Non Serge, tu sais bien, je n'ai pas envie, elle voudrait disparaître, sous la table elle tente de cacher son visage, S'il te plaît ne fais pas ça, puis c'est presque panique animale, la chaînette de la boucle d'oreille droite s'emmêle à ses cheveux, il attrape son bras, Allez pour une fois laisse-toi faire, et le tire un peu fort pour la faire sortir de son abri, Arrête tu me fais mal, elle crie, Lâche-moi !, elle aura un bleu demain à l'endroit qu'il a serré. Et sur la photo, une petite tristesse qu'il prendra jusqu'à la fin pour de l'amour, à la glisser dans son portefeuille.

Aux toilettes, Michelle jette les boucles d'oreilles dans le tourbillon de la chasse d'eau, adieu vermisseaux, puis elle s'allonge à côté de sa fille. C'est une mère qui aimerait pouvoir s'enfouir dans la respiration de son enfant, on dirait qu'elle pleure pourtant ce ne sont pas des larmes, juste une colère longue sous les cernes. Elle lui en veut d'avoir volé la preuve de son ensevelissement, elle s'en veut de la lui avoir laissée, elle pourrait le tuer pour ça, c'est excessif bien sûr mais sa révolte ce soir a quatorze ans, le tuer ouais, une bouteille pour l'assommer, un couteau à planter dans son dos.

Elle repose le tremblement de ses mains sur la tête chaude de Laurence. Demain tout sera pareil. Bouge, fais-nous du flou ou alors, pitié, ne me vois pas.

La formatrice les appelle toutes Mademoiselle, Michelle peut croire que tout commence. D'abord vous regardez vos doigts mesdemoiselles, vous ne les quittez pas des yeux, c'est plus tard que vous taperez sans regarder. Elle regarde. Des mains d'homme qu'elle cache le plus souvent dans ses poches. Sous ses ongles s'est collée une cendre grasse, une limaille invisible qu'elle sent partout.

L'odeur l'a décidée, cette odeur métallique d'atelier qu'aucun bain n'estompe. Trois fois par semaine, après l'usine, elle descend en ville pour les cours du soir. Dactylo, le terme lui plaît, avec son Y au milieu il lui invente une patte-d'oie à la sortie d'une petite ville américaine, un creux d'Ouest à son échelle, un Y pour être enfin chez elle. Dactylo c'est moderne, solution, moquette, nouvelle vie, femme libre, plantes vertes et jupe droite. Elle gardera ses bagues.

Le geste n'est pas le même qu'à l'usine. Ici il faut piqueter de la pulpe du doigt sur le clavier. Là-bas, toute la journée, c'est prendre, tourner, abaisser, arracher, jeter, mon dieu quel bruit, ne toucher que du métal. Ici bakélite, cliquetis et bientôt ongles vernis. Tenez-vous droite mademoiselle, coudes à l'angle droit. Elle redresse son dos endolori, ses bras sont une lancinante douleur mais elle s'applique, à s'en faire pleurer les muscles.

Le soir en brossant ses cheveux, dans la lumière basse de son épuisement, elle se trouve des airs de Joan Baez. Ses traits se gomment dans la brume suffocante d'un canyon, il y a du sable entre ses orteils et si elle lèche ses doigts elle peut sentir le sel de l'océan Pacifique. Assise par terre, elle écoute les disques de Bob Dylan, elle a du tambourin et des droites d'asphalte la bercent jusqu'au bout de l'Ouest. Sur sa table de chevet il y a

Sur la route, elle ne lit jamais mais elle se dit qu'il est son livre préféré.

Son orthographe est bonne et ses doigts agiles. C'est bien mademoiselle dit la professeur et c'est comme si elle lui remettait son premier passeport.

Un poste de secrétaire s'ouvre au service des ventes. Elle s'achète un chemisier, elle attache ses cheveux. Dans l'escalier qui monte à l'étage de la direction, elle imagine la vie d'après. Il n'y aura ni fatigue ni vestiaire, elle boira des cafés, tapera des courriers, répondra au téléphone, ses mains seront toujours douces. Ils économiseront sur son salaire pour acheter des billets d'avion. Elle apprendra à conduire, en Amérique il n'y a pas de virages à couper, juste de longues routes déroulées pour eux jusqu'à l'océan.

Le bureau est vaste, moquette claire, murs crème. Aucun bruit, pas d'odeur non plus. Par la fenêtre, derrière les stores verticaux, on distingue le boulevard, cette ligne qui s'en va. Michelle s'avance, les mains moites essuyées sur sa jupe, bonjour monsieur, voilà, elle est candidate, elle a pris des cours du soir, elle peut faire une démonstration. Le directeur du personnel la regarde à peine, il la renvoie à l'atelier avant même qu'elle ait pu s'asseoir.

Le soir la consolation de Serge l'achève : Pourquoi aller dans les bureaux ? On est du bas, nous. C'est l'autre face d'une même violence, ça lui creuse des crevasses d'humiliation dans le ventre, Reste à ta place, pour qui te prends-tu ?

Sa peur, elle ne peut la dire. Ils la prendraient pour trahison. Sa peur est toute une histoire embarquée, un peuple hébété sur les radeaux. Elle a fait le voyage avec elle, un voyage long, tordu, amnésique et lucide ; des rochers humides du plateau à la terre grasse de la plaine, de l'étable aux machines-outils, des fermes centenaires aux tours grises où s'endorment chaque soir ces gens pâles et pluvieux à qui elle ne veut pas ressembler, sa peur est une rivière qui a creusé une vallée entre les deux destins qu'elle refuse, paysanne ou ouvrière.

Rien n'arrête son flot, ni les racines ni les barrages, elle grossit jusqu'à devenir un courant redoutable qui emportera tout sauf sa terreur d'être de ceux à qui n'arrive que l'écume des choses. Cet inenvisageable d'une vie pour rien.

Une rivière, elle noie tout.

Michelle s'enfonce dans le lit, son corps pèse bien plus lourd que les Appalaches.

Les vacances qui suivent finissent de l'enfouir. Une chaleur sèche la cloue à l'ombre de la caravane. Allongée dans un fauteuil en toile, elle attend juste le jour d'après. S'empilent les heures vaines, dans l'absence de tout.

À perte de vue, l'été.

Elle n'est plus que l'enveloppe d'elle-même, un corps qui se lève, mange, dort, ronge au sang ses ongles d'ouvrière ; elle émacie ses rêves jusqu'au squelette, les effiloche jusqu'à plus rien ; elle réussira bien, à force de se dépeupler, à n'en plus souffrir.

Serge se plante entre le soleil et elle, Viens on va se baigner au torrent. Elle, la beauté des tristes : Non merci, je n'ai pas envie.

Elle ne demande rien, elle ne veut rien, elle est calme, l'ombre la cache entièrement.

Ce n'est pas se résoudre, mais s'éteindre en silence. Il lui faut reconnaître sa défaite, accepter le bruit long de la chute puis le silence creux de son être vidé, être la seule à l'entendre résonner dans le jaune de l'été. Elle est une animale tarie, promise à la réforme si elle ne rentre pas dans le rang. Du troupeau, elle sera la première sacrifiée.

Ici ne sera jamais là pour elle.

Là-bas non plus.

Laurence tombe dans les graviers de l'allée, elle pleure ses genoux écorchés. Michelle dit Arrête de pleurer, ça m'énerve. Ne sait pas la consoler, ne sait pas être mère, n'a jamais su, ne saura pas. Elle veut bien plaider coupable mais pour sa défense elle le dira au jury : elle ne voulait pas d'enfant si jeune, à peine vingt ans, elle ne voulait pas sacrifier sa jeunesse à l'enfance d'une autre. Elle voulait juste couper les virages et oublier, si l'on peut.

Elle connaissait à peine Serge, ils étaient deux enfants encore, s'aimant à l'arrière des voitures. Le médecin avait déclaré qu'elle ne pourrait jamais avoir d'enfant. S'était trompé. Alors Simone et Raymond ont dit Il faut vous marier vite avant que ça se voie trop. À la noce, elle était gaie, cela n'a rien à voir avec le bonheur. Deux jours après le mariage, elle a commencé à l'usine.

Consoler Laurence, cette enfant qui l'a faite mère trop tôt, c'est soulager le boulet qui l'entrave.

Il y a une mobylette. Elle appartient à un jeune garçon. Un après-midi, alors que les autres sont partis en ville, Michelle la lui emprunte. Elle sort du camping, elle prend sur la gauche et encore à gauche, la route grimpe tout de suite. Il y a une lumière de cinéma, il y a des virages. Mais de l'air, non, il n'y en a plus. Michelle fait demi-tour.

Serge les emmène faire un tour en voiture. Embrayage, accélérateur, embrayage, il est un coureur de rallye, le roi du virage en épingle. Son moteur triomphe en atteignant les causses, d'autres plateaux que le sien, même horizon plat, même parcimonie de gens, austérité de paysage mais le soleil plus près, plus chaud. Laurence s'assoit sur la portière à la vitre ouverte, il accélère dans les lignes droites et monte le son de l'autoradio. Au retour, il coupe les virages dans la descente. La fumée de sa cigarette danse en diffracté. Il sourit à Michelle. Elle se cramponne à son siège, elle a peur. Tout s'inverse.

Mimi prépare sa course puis la gagne, coupe, applaudissements au podium, Raymond et tonton Jojo vont à la pêche jusqu'à bredouilles, mamie Poulet grille des saucisses au barbecue, deux soirs par semaine ils payent une glace à la petite, ils jouent aux dames, à la belote et au 421, Daddy daddy cool passe sur la sono du camping, puisqu'ils ont des habitudes de vacances les Grandjean sont heureux.

À la fin des deux semaines, une grande décision est prise : ils laisseront les caravanes ici. Les emplacements sont ombragés et à parfaite distance des sanitaires. De toute façon, dit Serge en quittant le camping, on ne vient que là.

***

Un homme arrive et la regarde.

Il est nouveau, il la regarde. Un homme passe devant elle avec son chariot et la regarde deux fois, une fois à l'aller, une fois au retour. Être regardée ; on pourrait dire pour la première fois être entièrement vue sous le regard si l'on voulait dire l'étonnement, le vacillement de Michelle regardée.

Un homme vient, il la regarde et il l'arrache.

Il traverse l'atelier jusqu'aux portes battantes du fond, c'est elle qui le regarde à présent, elle est stupéfaite de regarder quelqu'un à son tour, elle accompagne son déplacement, harponnée au dos de l'homme qui disparaît dans le bruit des machines. Les filles de la chaîne chuchotent, Amérique du Sud, beau, réfugié politique. Qui voudrait d'ici comme asile ? pense Michelle alors que sur ses joues chauffe le premier regard de l'homme.

Le lendemain il vient et il la regarde encore. Les filles pouffent, qu'il est beau, cette moustache, gringo. Elles disent Il s'appelle Jairo, Paco de Lucia ou un machin dans le genre, elles parlent fort et il fait celui qui n'entend pas. Son chariot est une chaloupe qui appelle Michelle, un canot de sauvetage qu'elle prendra, bien sûr qu'elle le prendra, regardez-la, elle est déjà à bord.

À la pause, elle va voir sur le planning.

Il ne s'appelle pas Jairo mais Horacio Alvarez.

Un autre manège installe sa ronde. Chaque jour, même heure, il vient, chariot devant, pupilles d'aimants, corps de conquête. Horacio dit Bonjour, son accent de rocaille, elles lui répondent toutes ensemble et Michelle adoucit un peu sa voix, un galet poli, un ballon léger, un papillon soufflé au cou de l'homme qui la regarde.

Une eau monte, l'obsession, et l'inonde entièrement. Elle fouille le vestiaire, s'attarde au planning, écoute les conversations des gars de son atelier. En quelques jours elle trouve son adresse et repère ses fenêtres. Un immeuble, le long du boulevard, à deux cents mètres de l'usine.

Sous les fenêtres de l'homme, elle s'assied et laisse le soir tomber sur ses jambes grelottantes. Chez eux, Serge l'attend un peu puis il finit par ranger son couvert propre dans le buffet, il borde Laurence qui feint de s'endormir et il revient à la table, finir la bouteille. Lorsqu'elle rentre enfin, elle explique qu'une copine avait besoin d'elle, elle l'a aidée. Serge la trouve un peu flottante. Il a raison.

D'Horacio, elle veut voir la dernière lueur et connaître la lumière du réveil. Elle se lève vingt minutes plus tôt, s'arrache de la chaleur du lit pour être là, au pied de son bâtiment, lorsqu'il prend son café derrière la fenêtre allumée.

L'heure de l'embauche bientôt, il sort de l'immeuble, ses cheveux ont un rêche qu'elle voudrait mouiller, il marche vers le troupeau et elle le suit à distance d'espionne. Il sent une présence peut-être, une étrangeté de nuage, un air compact autour de son corps, une pression dans ses cuisses, quelque chose qu'il n'identifie pas mais qui le rend confiant. Il marche comme un patron. Non : mains dans les poches de son blouson, il marche comme Bob Dylan.

Un matin, elle se met sur son chemin.

Il l'accueille d'un regard qui dit Je t'attendais mais patientons encore un peu. Ils marchent côte à côte, silencieux qui entendent tout, leurs souffles dans l'air froid se mélangent dans les hauteurs. Ils savent. Pour une fois elle voudrait que le temps s'arrête, faites oh s'il vous plaît faites que plus rien ne bouge. Serge s'accroche à sa deuxième cigarette lorsqu'elle passe devant lui avant de pointer.

À son poste de travail ce n'est plus à l'Amérique qu'elle pense mais au chariot d'Horacio, à sa routine enfin adorée. Elle prend la pièce, attend le chariot, la place dans la machine, viendra le chariot, abaisse le levier, espère le chariot, soulève le levier, entend le chariot, sort la pièce, boit le chariot, prend l'autre pièce. Elle n'est plus que cette femme qui attend le chariot.

Michelle marche dans les rues de la ville où personne ne reconnaît sa fièvre. Elle a des audaces. Un corps l'attend, elle le sait depuis le premier regard. Ses seins sont fiers d'être bientôt par lui embrassés. Ça la déferle, une vague la creuse. Elle ignore si c'est lui qu'elle aime déjà ou le délice de cette brûlure qui crépite ventre poitrine gorge, empêche le sommeil et capture toutes ses pensées.

Dans le silence tumulte de la chaîne, une langue naît en elle, qu'elle se découvre connaître sans jamais l'avoir apprise. Elle raconte qui il est et c'est ce qu'il est. Il n'y a qu'elle et lui puisqu'ils ne se sont encore rien dit. Il n'est qu'à elle qui l'invente. Montent en elle des mots nouveaux, viscérale mélodie. Et ça fait, en attendant le chariot : Est-ce qu'il nous arrive quelque chose ? Dis-le-moi mais dis-moi oui il nous arrive quelque chose, dis-moi quelque chose nous arrive de loin et pour longtemps. Et ça continue : Bientôt nous nous saurons sur le bout des doigts, nos bouches n'auront pas de place pour les mots, et ce sera un voyage, une galopée à travers les plaines, nous irons vers l'ouest, loin de ces terres grises qui nous enfouissent. Je caresserai tes mains, chaque doigt le fêterai doucement, et ton visage aussi, ta bouche. Tu riras et j'embrasserai ton rire, jusqu'à la dernière goutte je le boirai. J'embrasserai tes yeux, ta langue et ta queue, j'embrasserai chacun de tes souffles, tes mots et ton odeur, mais je n'embrasserai pas ton cœur ; ton cœur, ne t'inquiète pas, je ne le frôlerai pas. Trop peur qu'il file comme un chat.

Un désir, elle le dévore à même les mains. Et Serge confond ce désir pour un autre avec du désir pour lui. Elle s'en déleste, il s'en délecte, elle paye par avance sa dette envers celui qu'elle s'apprête à blesser. Ce n'est plus s'accrocher au gémissement de Serge lorsqu'il se déverse en elle, c'est déjà se hisser au plaisir d'Horacio.

Un jour d'hiver enfin, un peu avant le nouvel an, Viens chez moi ce soir si tu veux. Horacio Alvarez n'est encore que l'instant d'avant, et le plus beau, et faites, oh faites, qu'il s'étire malgré l'impatience qui cogne à son ventre.

Chez lui est un appartement en tous points semblable au leur. Mêmes cloisons creuses, mêmes voisins derrière, le bruit de leurs eaux, les quintes de leurs toux. Terrain connu qu'elle fait sien lorsqu'il allume la lampe orangée au pied du lit défait.

Ils se parlent à peine. Ils offrent un baiser puis un autre puis tout un collier de baisers à leurs cous émus. Elle a beau chercher, elle ne voit rien de mal à céder à la pulsation, au sang fort qui va de son ventre à son cœur, à la puissance qui l'emporte lorsque les mains d'Horacio se posent sur elle.

Elle a beau chercher, elle ne cherche plus, elle vient de trouver. Elle est belle, à genoux.

Sur sa poitrine brune, est tatoué un cœur, il enserre ses initiales HA – et Michelle lit ha petit cri, ha début de rire, ha ha ha la joie dans tous les sens. Elle le contourne à petits coups de langue. Sa sueur a le goût salé du lointain. Il est une frontière et elle la traverse en courant. Il ne sait rien des larmes qui pleuvent en silence sous ses échafaudages. Il ne s'appelle plus Horacio mais Ailleurs, enfin.

Ce qu'ils sont est là, dans ces caresses qu'ils se déposent, dans les silences qu'ils se disent à l'aplomb de leurs baisers. Deux corps étendus, des amants. Michelle détaille le visage d'Horacio, elle effleure ses cils du bout des doigts. Qu'ont-ils perdu comme temps ? Rien de vivant, avant, rien. Les étoiles ne filaient pas, les trains ne reliaient aucune gare et les fleuves n'aboutissaient à aucune mer. Même les larmes ne coulaient plus. Les sangs figés n'allaient qu'à la boue.

Au mur de la chambre, épinglée au-dessus du sommeil, il y a la photo d'un adolescent. Il est torse nu, un petit short serre ses cuisses. Ébloui par le soleil, il ne sourit pas. Son corps a treize ans peut-être mais son regard porte quatre-vingts années, même cent, même mille, l'antique de ce visage, cette manière de ne pas sourire du tout.

Ce n'est pas Horacio mais c'est un peu Horacio dans les yeux plantés droit, plantés fort. Un cœur est tatoué sur sa poitrine. De l'index elle suit les deux lettres enchâssées, même encre, même dessin, même calligraphie, seules les initiales diffèrent, FA dit le cœur du jeune homme sur la photographie.

Raconte-moi.

Floreal avait quatorze ans quand ils sont venus les chercher. Floreal est son petit frère, sa ville, son pays, son continent d'Amérique, un peuple tout entier, les chevaux dans les plaines, les poussières andines, les chansons tristes et les poèmes qu'on se dit à voix cassée. Floreal, l'autre peau de son corps.

Depuis toujours, on le surnomme El Negrito, cela veut dire Le Petit noir, ses cheveux étaient si sombres et ses yeux, des cailloux de charbon, et sa peau, brune comme celle des Indiens. Brune comme la tienne, embrasse Michelle et son doigt dessine un arbre sur la poitrine d'Horacio.

Les voisins ont compris tout de suite en voyant la voiture se garer devant la maison. Toujours les mêmes Ford Falcon vertes sans plaque d'immatriculation, leurs gueules de crocodiles, leurs passagers en moustaches, elles s'approchent des maisons et tout Buenos Aires sait que les crocs du malheur s'affûtent. Comme une croix tracée sur la porte.

Nous sommes des communistes tu sais, chez nous c'est comme ça, El Negrito comme les autres, dit Horacio en suspendant un temps la main de Michelle. Quand les militaires ont pris le pouvoir, on a continué, c'est dans notre sang. À la maison ce soir-là, il n'y avait que Floreal et leur mère. Horacio et son père étaient à une réunion politique. Emilio, le voisin, l'ami, a envoyé sa fille les prévenir, qu'ils se cachent pour une nuit au moins, Ils sont là, a dit la petite, nous les avons vus entrer chez vous.

Des promeneurs ont retrouvé le corps un mois plus tard de l'autre côté du fleuve Rio de la Plata, rive uruguayenne, entièrement nu, pieds et poings liés. Sur la poitrine du cadavre, on distinguait un cœur tatoué, comme s'il avait été dessiné dans ce seul but, ce jour où les deux frères s'étaient allongés ensemble sur la table du tatoueur : que leur mère, exsangue de l'avoir cherché partout, puisse reconnaître son corps comme étant celui de son enfant. Le médecin qui le lui a rendu l'a regardée dans les yeux, Votre fils a été empalé, madame.

Michelle s'est assise dans le lit maintenant. Elle serre la couverture contre elle. Elle pleure.

Il était petit mais fort, mon frère, une tête dure, et Horacio frappe l'os de son crâne avec son index replié. Avant que l'on retrouve son corps, alors que nous le cherchions partout, à montrer sa photo à toutes les portes, ma mère a raconté les quatre jours qu'ils ont passés ensemble au centre de torture, les cris du Negrito qu'ils lui faisaient entendre nuit et jour, le spectacle de sa mise à mort, lorsqu'ils la forçaient à regarder son enfant lacéré, son beau visage barré d'un bandeau pour l'aveugler, un boxeur sans parade, un noyé sans maillot, le plus étonnant pour elle, c'était ça, voir son corps nu, revoir le corps de son garçon, autrefois enduit de baisers et de caresses, petit pruneau accroché à son sein, son corps rond de bébé devenu homme, elle n'a pas vu le temps passer, c'est ce qu'elle s'est dit en regardant le corps torturé de son fils, sec et bien musclé, son corps couvert de brûlures, parcouru d'électricité et de supplice, son beau corps de martyr.

La dernière fois, il était suspendu par les bras. Ils lui avaient enlevé son bandeau, elle a compris qu'il allait mourir, ses yeux gonflés pouvaient voir ses bourreaux, privilège réservé aux condamnés à mort, mais El Negrito les tenait fermés, comme sa belle bouche, toute close, rien ne pouvait en sortir, il ne leur consentirait rien, même ses derniers souffles leur refuserait, elle savait ce que faisait son fils, résister, et quelle fierté ça lui donnait, voilà mon fils, bien droit, ne cède à rien, oh mon petit comme je t'admire, tu es tellement plus fort que ceux qui te saccagent, reste concentré sur ta douleur, contiens-la, qu'elle ne déborde pas, ça leur procurerait trop de joie, oh mon petit, mon éternel.

La méthode, faire souffrir l'enfant pour obtenir la reddition de la mère, donne en général de bons résultats. Les tortionnaires ne savaient pas la dureté d'Iris Alvarez, sa résistance au mal, un patrimoine familial. Elle a regardé son fils et sans un mot elle a avalé sa souffrance, paupières papier de verre, lèvres barbelés, corps de métal. Tellement glaciale qu'ils l'ont relâchée, pensant qu'elle était morte dedans, calcinée comme les électrocutés, foutue comme son gamin.

C'était mal connaître ma mère, souffle Horacio et c'est presque un crachat, Après l'enterrement, elle a convaincu mon père que je devais partir. Un de leurs amis travaillait ici, il m'a fait venir, mais eux continuent, je sais qu'ils continuent.

Son visage est un tombeau.

Il se présente à elle, nu, tendre et déchiré, cette première nuit de vêtements jetés autour du lit.

On l'appelait El Negrito et Horacio commence à murmurer la berceuse de tous les enfants de chez lui, Duerme duerme negrito.

L'aube les observe.

Au givre qui gratte à la fenêtre elle cherche une rime. Trouve : vivre.

Le lendemain et tous les jours d'après, entre ses jambes palpite le manque d'Horacio, la plaie délicieuse. Michelle est un territoire occupé, un peuple prêt à l'exil, petits baluchons ficelés. Elle apprend sa respiration par cœur et se la récite dès qu'elle le quitte. Leur ciel est inextinguible, ce qu'ils partagent n'existe pas. Il est partout, chaque seconde. Elle maquille Laurence pour la soirée du nouvel an, du rouge qu'elle étale sur sa bouche, mais c'est aux lèvres brunes d'Horacio qu'elle pense. En suivre le contour chaque jour, aller vers ce regard qui l'augmente, vers cet amour qui la justifie, voilà sa destination.

Elle s'invente d'autres cours du soir pour trois fois par semaine pouvoir le rejoindre. Les hommes se retournent sur ses jambes, tous aimeraient se chauffer à son feu.

Elle marche sur les trottoirs d'Horacio pour voir ce qu'il voit, sentir ce qu'il sent. Elle prend la pluie dans le visage. Il pleut depuis des années ici, le nez toujours froid. Une répétition de gouttes qui imprègnent le sol sans jamais rien inonder, aucun débordement pour les emporter, juste du miroir sur les trottoirs, du spongieux chez les vieux. La pluie mouille mais ne nettoie rien. Ou alors faites qu'il neige et que les traces des pas d'Horacio sur le sol toujours demeurent.

Souvent, elle jouit et puis elle pleure.
C'est la même chose, la même maison.

Les semaines passent, remballent l'hiver, allongent les journées. Elle va de l'usine à son amant, de son amant à sa fille, de sa fille à son mari. Les dimanches sont les mêmes, tout le reste a changé, un rendez-vous est toujours proche, vient d'avoir lieu ou va avoir lieu, entouré de la morsure du manque ou de celle du désir apaisé, pareilles sucreries. Joël a oublié la mobylette. Elle aussi.

Sur le sentier qui mène au barrage, elle marche seule. Serge et ses parents parlent derrière elle, Laurence court devant. Prise par le bercement de la promenade, ses bras se balancent, elle murmure pour elle-même une sorte de comptine, Ma place n'est pas ici, ceci n'est pas ma vie. Simone raconte que deux adolescents sont morts noyés dans le lac. Ils patinaient quand la couche de glace, rendue fragile par le premier dégel, a cédé sous leur poids. On a retrouvé leurs corps des jours plus tard.

Serge a compris.

Elle nie. Avouer serait salir la douceur de leur lait à une langue noire. Comme le barrage dont on ouvre les vannes, la puissance du déferlement fracasserait tout, et Laurence qui ne sait même pas nager.

Impossible, impossible.

Il s'écorche de questions, elle résiste, ils finissent par s'endormir.

Elle en parle peu avec Horacio. Il dit J'ai le temps de toi. Que pourrait-elle lui répondre d'autre que Je t'aime, depuis le premier chariot je t'aime.

Et puis ça arrive, le bruit du printemps.

Il lui annonce Je vais partir, je dois rentrer en Argentine. Elle ne le croit pas. Elle rit. C'est après les caresses, ils fument au lit et elle rit, ce ne peut être qu'une plaisanterie. Alors je viens avec toi, elle dit, je n'ai jamais pris l'avion tu sais et j'en rêve, le prendre avec toi, et il rit à son tour, quelle plaisanterie.

Ils n'en parlent plus, les plaisanteries s'éteignent quand on s'embrasse.

Le lendemain elle a froid soudain sur la chaîne. Une sorte de blizzard la glace de l'intérieur, une terreur qui monte de son ventre et pétrifie tout. Il va partir. Les rires s'évaporent plus vite que les mots. Il va partir, elle le comprend. Ses mains n'attrapent plus les pièces, ses bras ont des soubresauts idiots. Elle flanche de partout. Il part. Une nausée monte, son sang se rétracte et lui qui part, elle le sait maintenant. Nicole dit Michelle va tourner de l'œil, arrêtez le rail. On l'assoit sur une chaise, on lui fait de l'air, ajoutant du froid à son froid, on lui pose un chiffon mouillé sur le front et trop de questions ; inerte, elle n'est plus que le corps délaissé par le corps qui part. Un chagrin fossile se met à couler sur ses joues. L'arrivée du chariot d'Horacio ne le tarit pas.

Quelque chose n'a plus lieu.

Quelque chose avait lieu qui n'a plus lieu. Quelque chose était simple et devient compliqué. Quelque chose était insouciant et devient inquiet. Quelque chose tout puissant sent ses forces capituler.

Il faut souiller le beau silence de leurs baisers impatients. L'impudeur des mots qu'ils doivent se dire, la laideur des questions qu'ils doivent se poser. Mais si tu pars, dit Michelle, que vais-je devenir ? Horacio, chaque mot le déchire. Je dois rejoindre les miens, me battre avec eux, comprends-le mon amour.

Mon amour.

C'est la première fois qu'il le dit, mon amour, et c'est un mot pour dire adieu, mon amour, et il empoigne sa tête pour l'enfouir contre lui.

Michelle se dégage, elle ne succombe pas à l'affolement de sa peau. Elle redresse la tête, Je viendrai avec toi, et chacun d'eux sait que ce n'est pas une plaisanterie.

Tout redevient intelligent. Quelque chose a lieu, qui est évident de nouveau.

Je viendrai, je t'accompagne jusqu'au bout, tu m'expliqueras l'avion, tu m'apprendras ta langue et ta cuisine, tu me présenteras ta ville et tes terriers, je viens Horacio.

Et ta fille ?

Ma fille ? Elle vient avec moi.

Puis elle s'endort et Horacio la regarde longtemps.

Serge l'appelle depuis le parking. Son prénom, Michelle Michelle Michelle, rebondit sur toutes les façades, Descends, viens vite, il faut que je te montre quelque chose. Il la conduit derrière l'immeuble, Ferme les yeux, je veux te faire une surprise. Elle se laisse guider. Elle rit un peu, c'est nerveux.

Voilà, tu peux regarder.

C'est une mobylette, pas celle de son père, une mobylette neuve. Serge, tout fier, si heureux. Il garde au bord de sa bouche toutes les questions, Alors ? L'aimes-tu ? Vois-tu comme elle est neuve ? Veux-tu l'essayer ? Sais-tu combien je t'aime ?

Elle pleure, des larmes de cinq ans et demi.

La nuit, elle entre doucement dans la chambre de Laurence. Elle la regarde dormir. Elle ne dit rien.

La roue arrière s'écrase un peu sous leur poids mais elle va tenir. Il s'accroche à sa taille. Elle conduit doucement, sa mobylette s'engage sur la route du plateau. Elle veut faire découvrir le lac à Horacio. Dans les virages, elle ralentit et reste bien sur la droite, l'ascension est presque silencieuse. C'est une journée de lumière d'après hiver. On voit les premiers oiseaux et les tétons des bourgeons aux arbres.

Il pose sa tête contre sa nuque et dit Ta fille ne peut pas venir, c'est trop dangereux, c'est la guerre, si elle vient je te quitte, reste avec elle nous nous retrouverons plus tard.

Elle entend chaque mot, puis elle entend son silence.

L'eau du lac est glacée mais elle est à eux. Tout est vert, un ciel de forêt. Il veut se baigner. Ils se mettent nus. Il entre dans l'eau comme on fend la crème, d'un trait qui se referme sur lui. De la plage, elle voit ses fesses rondes et bientôt ses épaules avalées par l'étendue conifère.

Elle dit Attends-moi mais il ne l'entend pas. Elle avance en sautillant dans le gelé de l'eau, chaque clapotis est une entaille à son ventre, elle souffle dans ses mains puis elle se lance. Elle tire sur sa brasse pour tenter de le rattraper. Par-delà son souffle elle entend la voix de son père, c'était ici, une cigarette écrasée entre ses lèvres, Bouge pour ne pas couler, il lui disait, bouge allez bouge.

Elle se souvient, elle s'encourage, Ne pense pas au froid, ça va passer, nage, respire bien, bouge, allez bouge.

Voilà où est venue toute la neige de l'hiver, dans l'eau qu'elle coupe de ses bras. Elle n'aurait pas dû regarder. La silhouette flasque d'un brochet passe sous elle, des nuages de vase inquiétants flottent lentement, les ombres anciennes des noyés la tirent par les pieds. À présent elle n'est plus allongée comme son père le lui a enseigné mais à la verticale, ses jambes moulinent pour rien, ses cheveux font des algues de chaque côté de son visage, ses bras hachent la surface verte en cercles rétrécis, son souffle est cisaillé, on dirait un tronc gelé et un petit rire nerveux, une saccade, elle boit la tasse plusieurs fois, le goût du barrage, glacé, elle le recrache. Elle voit au loin la tête brune d'Horacio glisser sur l'eau, inexorable. Il veut traverser jusqu'aux roseaux scintillants de la rive opposée. Elle crie encore un ou deux Attends-moi mais Horacio ne l'entend plus depuis longtemps.

Elle regagne la plage sans respirer, masse échouée, cœur vidé de son sang, blancheur caillou. Ce n'est pas l'eau du lac sur son visage, ce sont des larmes de je ne peux vivre sans toi.

Plus tard Horacio la rejoint, il se glisse derrière elle. Quelle beauté cet endroit, il dit, j'ai vu un couple de hérons. Elle sent dans son dos les pulsations de son cœur, elles traversent leurs deux peaux.

Elle lui dit Enveloppe-moi.

Ils achètent deux billets d'avion.

Ils partiront dans une semaine.

Elle décide de peindre Laurence.

Se la mettre dans les doigts une dernière fois pour ne jamais oublier l'ovale de son visage, le fusain de ses yeux. Michelle s'aide d'une photo. Sur celle-ci, elle porte un pull rayé, il y a du rouge, du jaune et du bleu, son regard est un fruit plein, qu'elle est jolie, sa fille.

La peindre c'est ne pas pleurer, chasser la pluie des yeux qui vient, soigner chaque détail, se concentrer sur le noyau. La peindre c'est l'emporter un peu et lui laisser un morceau de l'instant. C'est faire comme on peut.

Le dernier jour est vite là, le repas, la table débarrassée, l'enfant embrassée, un peu plus fort peut-être, et le lit où ils étendent leur harassement.

Elle pourrait rester si elle ne devait partir.

Elle s'émeut du souffle de Serge endormi, tout repose sur cette respiration désormais. Elle aime Serge dans ce chagrin qu'elle lui fait, elle l'aime dans l'instant de l'adieu plus que dans la somme de toutes leurs années.

Elle se coule hors du lit. Laurence dans sa chambre est une bouche d'enfant qui dort. Est une bouche qu'elle se déchire à quitter. Il faudrait que quelqu'un finisse par lui apprendre à nager.

Elle glisse la photo de Laurence, la seule qu'elle emporte, Laurence sa peau d'ange ses cheveux dorés ses dents de jeune fille, Laurence ses avant et ses à venir, elle glisse la photo dans une enveloppe qu'elle met dans son soutien-gorge comme le font les vieilles dames.

Elle ne sait pas du tout où elle va. Elle cherche une phrase pour écrire Je pars.

Ici n'est plus très loin.

25 avril 1978, il suffisait d'ouvrir la porte.

Simone, 19 novembre 1994

Elle voudrait que les fourmis ne la contournent plus, qu'elles fassent de ses jambes leur autoroute à double sens et des échangeurs américains. Elle voudrait ça, un peu de brise et aussi un nid sur sa plus haute branche. Et les mouches, qu'elles s'amusent.

Buenos Aires, le 22 juillet 1988

Chère mamie Poulet,

Je suis arrivée hier. J'ai trouvé une chambre à l'auberge de jeunesse, petite mais assez propre. Je la partage avec une Chilienne.

J'ai aimé l'avion, surtout le décollage, sentir la poussée des moteurs qui nous arrache du sol. Flotter vraiment. Peu avant le départ mon voisin m'a demandé si je voulais bien lui tenir la main pendant le vol. C'est idiot, il a dit, mais j'ai peur en avion, j'ai besoin de sentir que je ne suis pas seul. Il est cardiologue, chirurgien des cœurs comme il dit. Je lui ai tenu la main jusqu'au bout, si seulement il pouvait me réparer.

C'est l'hiver ici mais un faux hiver, sans froid ni neige. Un hiver pour ne pas y croire.

Je sais que tu es triste de mon départ, mais j'espère que tu le comprends.

Bisous à toi et caresses à Minette.

Laurence

Elle ouvre le robinet. Sur la table elle prépare les lettres. Deux petits tas. Les enveloppes, elle ne les brûle pas. Elle les garde, c'est comme ça, un ordre des choses qu'elle fait. Les lettres, non. Les lettres, elle les relit puis elle les feu de joie sur la gazinière.

Les mots de Laurence, voilà, elle les calcine. Sa petite-fille, l'enfant de son enfant et de l'autre qui lui a pris son enfant même après l'avoir rendu. L'autre qui a mis son enfant dans les bouteilles, toujours trop triste pour venir embrasser sa mère.

Serge, son Sud jamais revenu.

Cette nuit est son Ouest, son soleil couchant.

Et tout pue le Nord dans la maison.

Les flammes éclairent jaune.

Sur les murs de la cuisine, une jolie ronde d'ombres.

À la vieillesse, la mort est différente.
À la vieillesse, on meurt par paliers.

Elle fait tremper les photos dans le lait. C'est le dernier bidon, la crème sent fort. Autrefois, avec sa sœur, elles reconnaissaient les vaches à l'odeur de leur lait.

Elle ne connaît plus le nom des pis.

Elle s'en fiche.

Le jet de l'urine brûle entre ses jambes, odeur de bouillon, flaque jaune.

Ça fuit, évidemment ça fuit.

La vie s'écoule d'elle comme d'une bassine percée, évacuation des eaux usées, par tous les trous.

Combien de temps ? demandaient les problèmes du certificat d'études.

Elle fuit.

Buenos Aires, le 30 août 1988

Mamie chérie, bonjour,

J'habite chez Ceci (on dit Céci), la bibliothécaire du lycée français. Elle me loue une belle chambre et en échange je l'aide avec les livres (les classer et les réparer) et je fais un peu de ménage. C'est une maison étroite, avec peu de fenêtres, je m'y sens bien.

Ceci a un gros chat tout blanc. Il s'appelle Gordo et aime se laisser tomber d'un coup sur mon lit. Il vient et je ferme les yeux pour croire que c'est Minette qui me ronronne.

Tu n'aimerais pas cette ville je crois, trop de voitures, mais des arbres.

Je t'écrirai plus longuement la semaine prochaine, Ceci

m'appelle pour le dîner. J'embrasse ta joue douce et je gratte Minette sous le cou, là où elle rrrrourrrrroune.

Laurence

Ps : je ne l'ai pas encore trouvée.

Le papier d'Argentine brûle vite, c'est une satisfaction. Les lettres s'enflamment et disparaissent. Elle renifle un peu ses mains. Odeur de suie grasse.

Bien.

Elle bouche l'évier et ouvre plus large le robinet.

Bientôt l'heure de la grande marée.

Le 15 octobre 1988

Je suis si triste de la mort de Minette, mamie. Je ne peux pas croire que cela soit possible. J'ai passé la journée d'hier à pleurer. C'est idiot mais je crois qu'elle était vraiment ma meilleure amie. Tu ne m'as pas dit ce que tu as fait d'elle : l'as-tu enterrée près des sapins de Noël ?

À la bibliothèque, je lis la presse. J'apprends des choses. 30 000 personnes ont disparu pendant la dictature. Disparues, pas tuées. Disparues. On dit qu'à l'école de mécanique de la marine (qui s'appelle l'Esma) on torturait les opposants puis qu'on les faisait monter dans des avions et qu'on les jetait vivants dans le fleuve Rio de la Plata qui borde la ville. Tu imagines ça ? Jetés vivants dans le fleuve ?

Tu te souviens du stade de la coupe du monde de foot l'année de son départ ? On avait regardé la finale chez vous, je me rappelle. Ce stade est à quelques rues de l'Esma. Je passe devant chaque jour en allant au lycée. Les prisonniers entendaient la clameur du stade les jours de match. L'aéroport d'où les avions décollaient est là aussi. C'est étrange que dans une ville si grande les lieux de malheur soient si proches les uns des autres. C'est étrange qu'ici existe et que nous n'en sachions rien.

Je me promène à pied. Je regarde tout, chaque arbre qu'elle aurait pu graver, chaque brique qu'elle aurait pu griffer, chaque visage qu'elle aurait pu marquer.

Une foule immense d'elle habite ma tête.

J'ai tout mon temps, je vais la retrouver.

J'imagine que chez nous le froid est arrivé. Ici, c'est l'inverse : le printemps illumine tout. Il y a des fleurs incroyables, les troncs des arbres ont des formes humaines. Ma Minette aurait aimé y grimper.

J'ai la tristesse ce soir, j'aimerais être chez nous et qu'elle mordille mes doigts.

Laurence

Elle attend la mort comme elle attendait la naissance lorsqu'elle a porté. Le désir de vivre et le désir de mourir à égalité, pas de préféré. Les deux pareils, ses enfants chéris, ses petits si mal aimés.

Le premier n'est pas Serge et Serge ne le sait pas et personne ne le sait. Le premier est une peau biche, une bouche coquelicot. Le premier est une première, qui ne sait rien d'elle.

À la mort qui vient, elle offre mains ouvertes sa solitude grise et ses odeurs froides. Elle offre aussi ses bocaux à la cave, les haricots verts que personne ne prend plus, elle donne les pommes alignées sur le papier journal, son couteau noir et ses bouteilles de bouillon, elle cède sans un regard les tricots commencés pas terminés et ses photos mélangées, n'emportera que celles qui trempent dans le lait. Elle lui offre tout, ses importants et ses regrets, le même jour hagard toujours recommencé.

18 novembre 1988

Chère Mamie,

Il y a longtemps que je ne t'ai pas écrit. J'étais trop triste et quand on est triste, les mots sentent mauvais. Je ne voulais pas t'empester.

Je prends mes marques ici. Je me débrouille mieux pour parler. Il y a des parcs où j'aime aller dessiner.

À chaque instant dans la ville se croisent les victimes d'hier et leurs bourreaux. Je comprends mieux pourquoi ils n'aiment pas parler de la dictature : le passé, parfois, il vaut mieux l'anesthésier.

Dimanche, j'ai convaincu Ceci de m'emmener jusqu'au fleuve. Nous avons pris sa voiture et nous l'avons longé du nord au sud. De loin, on dirait une mer qui scintille, il y a des voiliers, il est si large qu'on ne voit pas la rive opposée. D'ailleurs la rive opposée est un autre pays, l'Uruguay.

Nous nous sommes arrêtées pour marcher près des digues. Nous sommes allées au bout du ponton d'où l'on voit la vraie nature du fleuve : une étendue brune à perte de vue, comme une immense cicatrice suintante. Les vaguelettes l'agitent tels des milliers de noyés. Nous sommes restées longtemps, silencieuses, à mélanger nos pensées dans l'eau marron.

À quelques mètres de la rive, une statue a été érigée, toute simple, la silhouette d'un homme aux pieds mouillés. Il regarde le large, il les attend, il est la seule humanité.

Le dimanche, les pêcheurs s'alignent et dans le contre-jour du matin, leurs cannes font de jolies hachures – barré, mille fois barré le passé. Que pêchent-ils dans ce fleuve dont Ceci dit qu'il ne faut manger aucun poisson ? Qu'espèrent-ils au bout de l'hameçon ? Un lambeau de disparu, sa tête pourquoi pas ? Ou juste un poisson obèse de ce que le fleuve l'aura nourri, gras des corps avalés depuis dix ans.

Eaux opaques, maudites, mille fois maudites.

Nous avons repris la voiture jusqu'au sud, le quartier de la Boca et son haleine de cimetière. Une odeur à soulever le ventre. Le fleuve est une langue pourrie qui lèche la ville, la souille sans cesse de son histoire infecte.

Ceci me raconte qu'à la mort de son père, sa sœur a voulu disperser ses cendres dans le Rio de la Plata. Ça, je n'ai pas pu, dit Ceci de sa belle voix grave.

J'aurais aimé cela, avoir une sœur.
C'est dur parfois, tu sais, mamie.

Laurence

PS : en allant au fleuve dimanche, j'ai pensé que tu te promenais peut-être avec Mimi au barrage, ça nous faisait de l'eau en commun.

Le lait tremblote sur les photos.

Ils sont tous là, ses essentiels, leurs visages graves cachés par la couverture liquide.

Parfois, sous le blanc affleure un sourire, les belles dents de Laurence, les yeux tristes de Serge.

C'est une cérémonie aveugle.

Elle les fait tremper puis elle va les manger, pour les avoir à jamais en elle.

Son corps l'abandonne.

Nul scandale à mourir maintenant et pourtant cette peur à chier partout.

Elle se laisse glisser comme dans l'eau du lac, droite, les deux jambes en poteaux vermoulus.

Elle passe la main entre ses jambes.

Sec sec sec.

La peau d'ici comme du carton, plus de langue à autoriser, plus de sexe à accueillir, du carton, odeur de vieil oignon, une toile rêche.

Noël 1988

Ma chère grand-mère,

Je te souhaite un très bon Noël et une bonne année. J'ai beaucoup pensé à vous, tu sais. J'imagine que vous étiez chez nous, ou chez Mimi. Avez-vous mangé des huîtres ? Offert des cadeaux ?

Ici, tout est à l'envers : il fait une chaleur d'août et on fête Noël à la plage. Ceci m'a offert un recueil d'une poétesse que j'aime beaucoup : Alejandra Pizarnik. Elle écrit des choses simples, déchirantes, entre le triste et le beau. J'apprends l'espagnol en la lisant.

La langue entre en moi et me comprend.

C'est comme si j'avais oublié ma langue maternelle à la maison. Je l'ai laissée dans les nuits où maman remonte ma couverture. Je l'ai laissée au ventre doux de Minette, dans les baisers de Sébastien et dans ton cou aussi, là où le chèvrefeuille ne répond plus. C'est ma langue d'elle, une langue morte que personne ne parle plus. Un latin qui ne s'enseigne nulle part. Cette langue a huit ans moins quarante-cinq jours, elle la trouvera intacte si elle rentre. Tu disais, je me souviens, que je parlais comme elle.

J'ai trouvé où vont les rêves lorsqu'on les méprise : au fleuve de peur, avec les pensées des morts et les non-dits. À la boue, au marron, à l'égout du dessous.

Laurence

PS : Je pense toujours à Sébastien, j'aimerais de ses nouvelles si tu en as par Mimi. Pas de photo. On ne peut plus rien photographier puisque maman n'est nulle part.

L'important est que les volets soient bien fermés. Le reste, non. Les robinets, ouverts, le feu, ouvert, les cartons, ouverts, la musique, ouverte. Le reste, non, ça ne compte pas de le fermer. Le reste, elle l'ouvre jusqu'au tout début.

Par la fenêtre avant de tirer le dernier volet, elle envoie un regard d'au revoir. Adieu terre natale, adieu terre finale, la même et si peu la sienne pourtant.

Rien n'est à elle, tout est à eux, à la terre, au ventre, aux c'est-comme-ça.

Si elle n'était pas passée, quelle différence ? La rivière coulerait pareille. Le barrage, pareil. Le lac, le même. On raconterait sa vie et ce ne serait pas sa vie mais juste celle de quelqu'un d'ici. On dirait sa vie mais on ne dirait pas Simone.

D'elle comme des autres, il ne restera rien.

Elle est dépossédée de tout.

Le papier se recroqueville comme un enfant mort. Tout fœtus, tout rien. Des morceaux se détachent, des phrases s'envolent, retombent en neige noire sur la gazinière. Se moque bien que tout se salisse.

Où vont les mots quand le papier brûle ?

Il y a encore quelques lettres à brûler.

Demain est terminé bientôt.

13 août 1990

Mamie chérie,

Je n'ai pas de nouvelles de papa, il ne répond plus à mes lettres, peux-tu m'en donner ? J'ai rêvé de toi cette nuit, tu étais très drôle, en chemise de nuit dans le jardin, tes lunettes sur le front, on aurait dit un hibou fou.

Mamie, tu sais, j'ai cherché dans toute la ville. Ceci m'aide. Elle connaît quelqu'un qui connaît un voisin de la famille d'Horacio. Je vais essayer de les trouver. Nous avons montré la photo de maman à beaucoup de gens. Personne ne l'a reconnue.

Ici ils disent los desaparecidos, *les disparus.*

On ne les retrouve pas.

Disparue c'est orpheline sans l'être, c'est tu peux bien gueuler personne ne t'entend.

Je l'attends.

Chaque jour le fleuve recrache des corps. Comme la statue du fleuve je guette son retour. Je veux être là pour lui tendre la serviette et sécher ses os.

Je t'envoie des besos, *qui sont les bisous argentins mais ont le même goût que les nôtres.*

Laurence

PS : Si tu as la nouvelle adresse de Sébastien, peux-tu lui envoyer ce poème ? ça lui rappellera nos promenades en forêt. Il courait, j'écrivais.

Le laiteux du fleuve, paresseux
Un ciel à l'envers étendu de boue
Un flot intranquille nous attend,
ses alluvions de cendres,
ses vagues de sang, – où étais-tu ? –,
moisissent à nos bouches.

Les chagrins, de l'eau qui nous délave
Les amours, ta peau que je dévale

L'hiver pique à mes joues
Chaque trace effacée
et tous les mots, oubliés.
C'est une voix de verre qu'on entend chanter
Et tu cours au sentier.

Autour de la table s'assoient les années. Il faudrait leur mettre des verres mais ils sont tous sales. On ne boira pas. Sur leurs genoux se hissent les mensonges, les manqués, cette assignation cachée sous les buissons, et les longs rires aussi – Mimi imitait la mère et elles riaient jusqu'au dormir.

Autour de la table s'assoient les années ; sur leurs genoux, bien droits se tiennent les souvenirs.

Elle va manger bientôt.

C'est un fleuve inéluctable. Il avance, il charrie des alluvions et tout un tas de branches, de trous d'eau, de jolis poissons, moments calmes et tourbillons, c'est puissant, ça n'inquiète pas. À la salle de bains aussi, elle ouvre les robinets. L'émail de la gazinière est recouvert de cendres noires à présent.

Quand il n'y aura plus du tout d'eau en elle, quand tout sera vide, lu et mangé, elle redeviendra bois. Ses bras, ses jambes, des branches noueuses. Ses mains, l'écorce de ses mains. Son visage de tronc creux.

Elle se couchera sur la table en chêne, son père, sa mère, ses frères des forêts.

Elle attendra.

Sous l'écorce soulevée, des vermisseaux.

11 septembre 1990

Chère grand-mère,

J'ai passé l'après-midi avec la mère d'Horacio. Son mari est mort l'an passé. Elle vit seule. Elle est presque aveugle. J'ai pensé à la grand-mère dans Heidi *(je rêvais que tu sois aveugle, toi, pour lui ressembler). Elle s'appelle Iris Alvarez. Elle n'a vu qu'une fois Horacio et maman. C'était quelques jours après leur arrivée de France. Maman était assise dans le même fauteuil que moi, ils ont bu un maté (une sorte de thé amer) et mangé des pâtisseries. Ensuite, m'a dit Iris, « je ne sais pas où ils sont allés, sans doute dans la clandestinité ou à l'étranger, je ne sais pas. On avait convenu de ne pas communiquer, pour ne pas nous mettre en danger. Ta mère parlait de la Californie, elle est peut-être partie là-bas ».*

Au mur, il y avait une photo d'un jeune garçon en short. Elle m'a dit « Lui c'est Floreal, mon deuxième enfant, lui ils me l'ont pris ».

Maman est peut-être vivante. Elle a oublié alors toute sa vie d'avant, elle ne sait plus moi. Ou bien elle est morte. C'est la même chose pour moi. J'ai une grande fatigue de tout ça. Ne pas avoir eu d'enfance est un trou qu'on ne remplira jamais.

Le lycée m'a embauchée comme bibliothécaire à plein temps.

J'espère que tout va bien. J'ai pensé à papy Raymond, hier, tu sais. Il me manque souvent. Et toi encore plus. Et Minette plus que tout, qui n'y pouvait rien.

Laurence

Tous les fantômes prennent place autour d'elle. Et ses enfants bien peignés. Elle ouvre deux boutons de sa chemise de nuit. On va bientôt pouvoir commencer.

Les vivants et les morts, elle ne sait plus très bien, elle se mélange mais peu importe : ses enfants.

Elle n'a pas mal.

Le médecin a dit Pour vous Simone, ça viendra du cœur, c'est de famille, c'est comme ça que vous mourez.

Ça serre un peu fort, ça l'étouffe, ça l'épaissit de l'intérieur, dire que ça fait mal, non. Elle est dans l'au-delà de son corps.

Elle se regarde mais ne se voit pas. Dans le miroir ce sont ses seize ans, ses taches de rousseur, un instinct farouche de bête. Et Hans juste derrière elle, ils disent Le Boche.

Hans, un fruit qu'elle presse entre ses mains.

Dans le miroir bruni, toujours seize ans et la petite bouche coquelicot dont on étouffe le cri dans les langes.

Elle sent la fatigue de son corps mais sa colère, non, rien ne l'a épuisée.

Sa colère est une jeune fille.

Sa colère court jusqu'à la route. Ils ont chassé Hans.

Sa colère rentre à la maison, des cailloux dans le cœur, des ronces dans la gorge. Chut, pas parler.

26 février 1991

Mamie chérie

Les nouvelles de ta santé m'inquiètent. Es-tu certaine que tu ne serais pas mieux suivie en ville ? Perdre l'équilibre n'est pas grave en soi mais que tu tombes souvent me fait un peu peur. J'espère que tu prends bien ton traitement pour le cœur mais je sais que non, tu n'en fais qu'à ta tête, comme toujours.

Je voulais te dire aussi : j'ai rencontré un garçon. Il s'appelle Nicolas, il est professeur au lycée. La première chose qu'il m'a dite : je t'attendais, où étais-tu ? Je crois qu'il m'aime un peu alors je vais rester encore ici.

Prends soin de toi, s'il te plaît.

Laurence

Il y a des ombres partout dans la maison.
Elles font peur.
Il faut éteindre encore.

À la mort elle abandonne tout, sauf ses deux passagers clandestins. La douane lui accordera bien ce bagage, jolies casquettes messieurs.

Raymond est passé depuis longtemps.

Raymond mon gentil Raymond.

Raymond est passé, mais les deux clandestins l'ont attendue pour partir avec elle. Elle les emmène au grand silence. Aplatis dans le double fond de son histoire, personne ne les trouvera. Même sa fierté personne ne la saura, sa fierté de ne les avoir jamais donnés malgré leurs coups dans le ventre – les deux clandestins voulaient sortir de leur cachette, elle les calmait en une respiration, deux maximum. Même à sa sœur, même à sa toute pareille, les taire.

Où vont les secrets quand il n'y a plus personne à qui les cacher ?

4 avril 1992

Mamie,

L'aéroport est au milieu de la ville.

Toutes les quinze minutes lever les yeux au ciel, même geste, même réflexe que les familles des disparus. Regarder l'avion s'incliner sur la gauche pour tourner au-dessus du fleuve, en direction de l'Uruguay ou du nord. Et si elle était dedans ? Et s'ils jetaient des corps, là, ballots de chair balancés par-dessus bord ?

Le fleuve est le dos douloureux de Buenos Aires : on ne le voit jamais, toujours on en souffre. L'eau est partout, elle apporte dans chaque maison le souvenir des disparus. Ils boivent, ils nettoient leurs corps, leurs intérieurs, leurs aliments, ils aspergent en riant leurs enfants. Je ne sais pas comment ils font pour ouvrir le robinet sans y penser.

Je ne bois toujours que du lait. Pas une goutte d'eau n'entre dans ma bouche. Pour le reste, je prie les Dieux de l'imperméabilité pour que ne me touche pas l'eau qui a pris ma mère.

Nulle part c'est partout et jamais en même temps.

C'est une drôle de vie mais c'est ma vie.

Ta Laurence qui ne t'oublie jamais

Y penser c'est faire venir la chaleur dans le vieux ventre. Elle a quatorze ans, il arrive à la ferme. Avec sa sœur, elle cherche la cruauté dans les yeux du Boche. N'y trouve qu'une douce tristesse.

Prisonnier de guerre, elle le tient dans ses yeux, captif sans chaîne mais son obligé, son aimé.

Elle a quinze ans, elle s'avance vers sa bouche, c'est un soir d'été, la guerre est finie. Elle a quinze ans, chaque jour ses bras.

Elle a seize ans, son lit est étroit, ils n'y tiennent à deux que sur la tranche ou alors se superposent. Dans l'odeur animale des corps, ils emboîtent leurs peurs, qu'on entre et les surprenne, que la guerre recommence.

Le sang ne vient plus entre ses jambes.

Ils chassent Hans. Elle court jusqu'à la route, jusqu'au barrage où il n'est jamais.

Son ventre est un long adieu.

Tu porteras la robe ample et quand le petit viendra, on le déposera sur le rebord de la fenêtre des Martin, ça les consolera de leur mort-né, c'est comme ça qu'on fait, ne pleure pas, tu en auras d'autres, c'est ainsi que l'on doit faire, sur le rebord, bien emmailloté et tout ira bien, tu oublieras.

L'enfant naît dans la grange, sa grand-mère offre les premières mains. C'est une fille qu'elle emmaillote et retourne vite, tête dans les langes. Elle n'aperçoit que la bouche les yeux et le nez rond, sa fille peau biche, disparue dans le panier, déposée sur le rebord, loin dans les années, son inoubliée.

Plus tard, toujours la maison vide des Martin. On dit qu'ils sont partis vivre en ville, peut-être même en

Bourgogne. Chaque mois elle met de côté de l'argent, elle les dédommagera, merci de l'avoir élevée jusque-là, je reprends ma petite douce comme son père.

Elle la cherche longtemps. Mais trop de Martin.

Chaque soir, elle s'endort avec la petite photo de Hans dans la paume. Chaque matin, elle la cache derrière la plinthe de la chambre.

13 août 1992

Mamie,

Nous sommes partis dans les Andes en avion. Je faisais petits yeux, je ne l'ai pas vue. Ni du haut ni d'en bas je ne la retrouve.

Nicolas pense qu'elle et Horacio ont été jetés dans le fleuve. Je n'arrive pas à le croire. Qu'est-ce qu'elle pouvait bien leur faire, la petite Michelle Grandjean ? Nous ne sommes pas de ceux qui font les martyrs, bien trop insignifiants pour cela. Elle a dû continuer vers l'Ouest, pas sa tête, comme les autres, à faire le bouchon dans l'océan brun de la Plata.

L'hiver est comme toujours ici, trop gentil. C'était l'hiver quand elle est arrivée, ça a dû la surprendre, cet hiver de printemps sauf les fleurs.

Je me demande où elle est allée, d'abord. Sur quel banc elle a posé sa lassitude du voyage, à quel mur elle a accroché ses espoirs. Les avenues sont larges. Les traverser, comment le faisait-elle ? Souvent je ferme les yeux au milieu des carrefours.

Laurence

Parfois elle s'imagine que Serge, venu quatre ans plus tard avec sa peau pâle et ses yeux tristes, est l'autre enfant de Hans. Elle lui trouve des airs, quand il entrouvre ses lèvres un souvenir la frôle. Mais les grossesses ne durent pas si longtemps, même les plus espérées.

14 janvier 1993

Chère mamie,

La semaine dernière notre fils est né.

Il s'appelle Juan, il a beaucoup de cheveux, sa peau sent le lait et la forme de son visage ressemble à celle de papa. Depuis sa naissance, c'est une contemplation, il me semble tellement mystérieux de vivre.

Parfois dans son sommeil sa respiration se suspend quelques secondes, mais je n'ai pas peur. C'est un sentiment plein, ça ne s'explique pas tellement. Nicolas m'aide la nuit pour lui donner le biberon. Nous nous débrouillons. On dirait bien que nous sommes une famille. Ça fait bizarre, un peu.

Je pense à elle, qui ne saura pas qu'elle est grand-mère. J'ai envoyé des photos à papa, il te les montrera.

Si tu veux, tu pourrais venir. Je te présenterais ma vie.

Laurence
(et Juan qui te bulle un baiser
dans son sommeil d'ange)

PS : je suis heureuse que ce ne soit pas une fille, je suis comme toi qui n'auras eu que papa. Tu pourrais me raconter si nous connaissions les mots.

16 janvier 1994

C'est horrible ils ont retrouvé Horacio.

Son cadavre au milieu des autres, dans une fosse commune au sud de Buenos Aires. Maman n'y était pas. L'autopsie dit qu'il a été assassiné d'une balle dans la tête probablement à l'automne 1978, juste après leur arrivée ici.

Iris m'a demandé de venir à l'enterrement de son fils. Nous avons suivi le cercueil, fantômes derrière un membre fantôme d'une famille fantôme. Qui est cet homme qui m'a enlevé ma mère ? Qu'en a-t-il fait ? Pourquoi n'est-elle pas morte dans la même tombe que lui ? L'a-t-il au moins aimée ?

Juan a fait ses premiers pas. Et il aime la glace au chocolat.

Je pense à toi chaque jour, même si tu ne me réponds plus.

Laurence

La main de Raymond sur sa nuque était le signal. Combien de fois ? Elle ne sait pas, dans sa mémoire il y a juste une répétition de toujours pareil.

Une seule fois, elle a écrit après les draps. Raymond dormait et les mots coulaient, ils venaient pour Hans mais n'étaient pour personne. Certaines choses ne s'écrivent que lorsque personne ne peut les lire.

Nous faisions l'amour et je pensais à toi. C'était horrible et merveilleux. Il a commencé par m'embrasser. J'ai fermé les yeux et c'était toi, tu m'embrassais et je t'embrassais, dans ma bouche prenais ta langue et tes doigts qu'il me donnait à lécher. Tes doigts pleins de moi à lécher. Il m'a fait jouir mais c'est de toi, de t'imaginer derrière moi, à m'enfoncer ton sexe droit, c'est de ça, qui est horrible et merveilleux, dont j'ai joui.

Elle a plié les mots en huit derrière la plinthe, comme une résistante dans la doublure d'un manteau. Ni l'un ni l'autre n'en a rien su. Celui à qui elle rêvait et celui à qui elle mentait, mélangés dans le même silence.

Les mots pour personne, elle les fait plonger dans la casserole, le lait les efface maintenant. Rien n'existe.

À Hans elle parle à outre voix.

Dans la casserole de lait, flotte la petite photo de Hans, son bijou précieux. Elle ferme les yeux, elle revoit tout. Noir et blanc le regard inquiet. Noire et blanche la peau émue. Noires et blanches les caresses à son ventre colline. Noirs et blancs tous les instants d'eux.

Imbibé de lait, le papier est mou comme du buvard. Elle déchire les photographies en petits morceaux. Commence par manger ses parents au jour de leur mariage. Puis tous les autres, les mâche très lentement, les ingère pour les emmener avec elle.

Avant d'avaler son père, elle dit Pardon papa, et ça la fait un peu rire.

Il n'y a que Laurence qu'elle ne peut pas manger. Laurence, sa poupée, son amour, Laurence si belle à l'enfance, Laurence partie pour rien, chercher le vent avec un filet à papillons, Laurence son adorée, les larmes lui viennent. Elle remet les deux photos de la petite dans la boîte en fer. Laurence, elle ne l'emmène pas, elle ne la condamne pas. Qu'ils voient qu'elle a souri, un jour. Laurence, elle la laisse aux futurs.

Hans est le dernier, son dessert, son il flottant. Il a le goût lent de l'amour, il glisse tendrement dans sa gorge.

Elle voudrait pouvoir se coudre. Coudre ses paupières, manger les photos et puis coudre sa bouche. Se coudre pour tout garder dedans.

Elle est étendue sur la table. La tête posée sur les enveloppes vides, toutes les lettres en cendres. Elle ouvre sa chemise à la nuit, le coton élimé, la peau poreuse.

Elle pose ses mains sur le bois, le chêne, son père, sa mère, ses frères des forêts.

Ils sont tous autour d'elle.

Les parents.

Raymond et Mimi et Jojo.

Serge et Laurence, Michelle à côté.

Hans et la petite.

La petite. Elle est jolie, peau biche, pâle comme lui.

Te bulle un baiser.

Le feu brûle encore à la gazinière.

L'eau déborde de l'évier, elle inonde la cuisine, bientôt le salon et l'escalier de la cave. Les voisins appelleront quand ils verront l'eau sortir sous la porte d'entrée. Ils taperont à sa porte, trempés de pressentiment. Ils préviendront Mimi, pauvre Mimi. Il sera bien assez tôt.

Elle regarde sa montre sans arrêt.

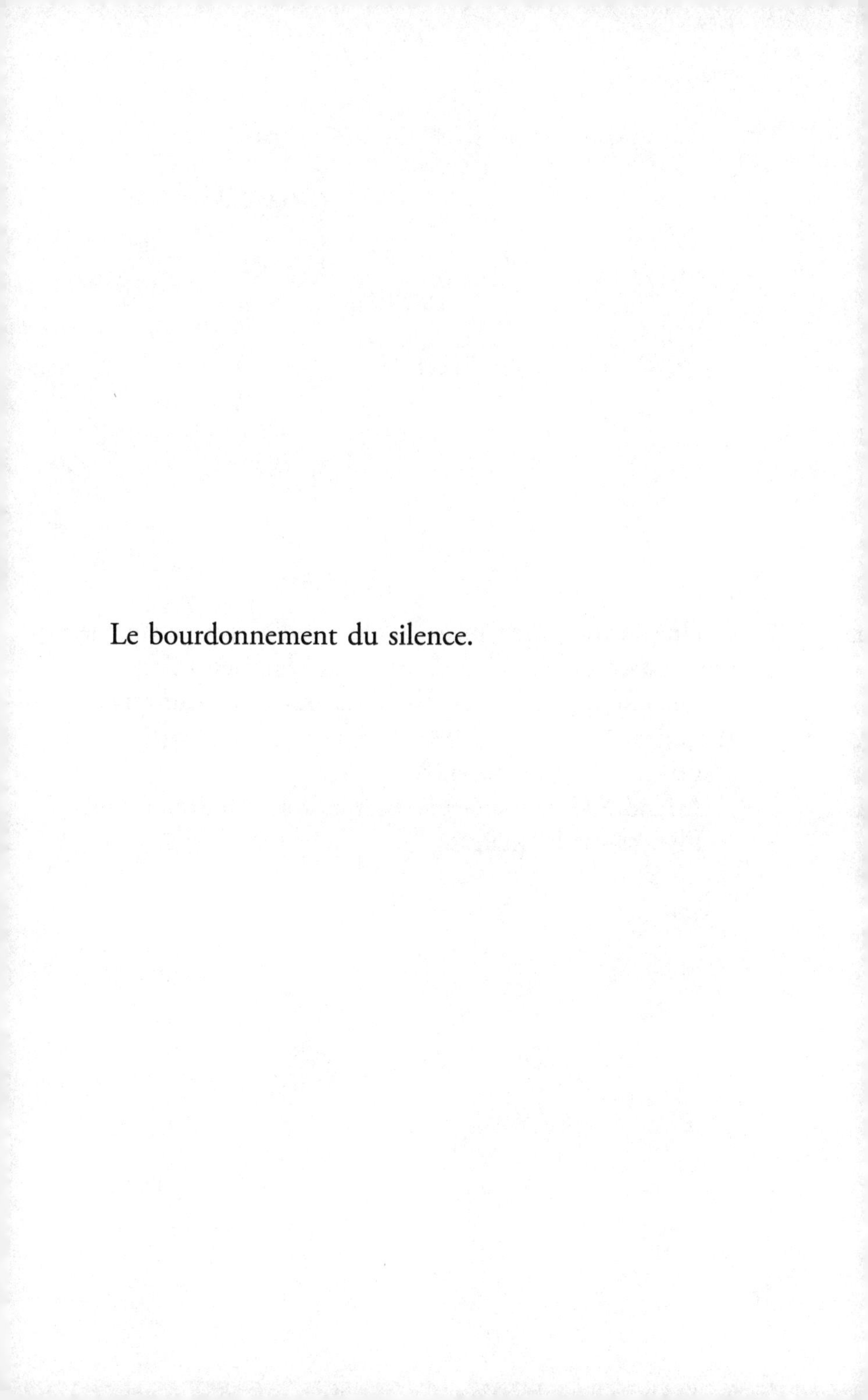

Le bourdonnement du silence.

Une larme glisse jusqu'à son oreille. Est-ce qu'elle dort, est-ce qu'elle pleure, est-ce qu'elle meurt ?

Elle entend l'eau mais elle n'est pas avec l'eau qu'elle entend.

Est-ce cela, finir sa vie ?

Attendre le couperet en regardant sa montre.

Elle est sur le quai.

Des images viennent, les bêtes au champ, alignées comme des majorettes, Mimi tombe devant la caravane, Raymond active la pompe d'un puits, Serge s'occupera des crevettes, des langes blancs, un poulet grillé, des insectes gavés et Laurence attend.

Il n'y a pas de rétroviseur dans cette voiture.

Les yeux aux orbites creusées n'ont jamais semblé aussi clairs. Ils fixent un point invisible, derrière tout.

Sa peau est blanche bleutée, par moments presque dorée. Tout part vers la rivière.

Elle attend l'ultime battement de son cœur. Elle n'a pas peur. Elle le sent monter, il vient de loin, identique à tous les autres et pourtant unique. Il va hésiter un peu, petit dernier au plongeoir, il se retournera avant d'atteindre le bord.

Rester seul ? Pour quoi faire ?

Il sera brave. Il se lancera d'un coup. Une dernière fois, il enverra le sang, tournée d'adieu à Simone, les veines comme des canaux, le sang comme un fleuve, adieu chaque organe qui servit le corps robuste, adieu le cerveau et le cœur, adieu l'enfant laissée et les amours cachées. Adieu cette vie qui fut la sienne.

Alors s'inclinera vers le silence l'ultime battement de sa vie.

Ce sera et puis ce ne sera plus.

Nous venons de l'endroit des tombes
Les morts nous encombrent
Les morts nous appellent
Ils nous ressemblent
Ils nous précèdent
Une armée
L'attend
Petite
Vois
Là

Serge, novembre 1994

Il l'a trouvé dans l'annuaire. Le type a dit Pas de problème, on s'y retrouve demain vers 9 heures. Dix jours après l'enterrement de sa mère, Serge Grandjean est retourné dans la maison de ses parents. Il n'y a plus l'odeur de son enfance, mais une humidité qui prend tout. Il se bouche le nez, cette odeur, il n'a plus personne pour qui être, il est un homme dépeuplé.

Il va vendre la maison.

Le brocanteur est à l'heure, il gare son camion dans la cour, devant la porte du garage. En quelques heures, avec son fils, il vide la maison. Prenez tout je ne veux rien garder, a dit Serge. Parmi des dizaines d'autres, il emporte une boîte entière de photos sans légende.

Les gens dans l'enveloppe

L'album

ASSISTANCE

Les gens dans l'enveloppe

L'enquête

Au début, ce n'est pas un livre, ni deux, ni rien. Au début, c'est juste une grande enveloppe blanche qui arrive par le courrier. Au début, on ne sait même pas pourquoi elle est là. Voilà, c'est juste une enveloppe.

En juin 2012, pour une poignée d'euros, j'ai acquis sur un site de vente aux enchères un lot de 250 photographies de famille, dont une soixantaine de Polaroid. Elles sont banales, souvent mal cadrées et parfois à contre-jour. Elles ont été prises entre les années 1960 et le tout début des années 2000. Si ce n'est un barrage, celui du Châtelot, aucun lieu n'est nommé. Pas un prénom, peu de dates, mais des visages, toujours les mêmes, une petite fille, nous devons avoir le même âge, elle est jolie et son regard est franc, un homme qui peut être son père, un couple de personnes âgées qui doivent être ses grands-parents, une coureuse à pied d'un certain âge qui gagne des courses et pose avec ses coupes, un camping où ils rencontrent en été d'autres gens…

Ces photographies sont ordinaires, familières et universelles. Elles m'émeuvent.

Le brocanteur du nord de la France qui me les a vendues m'apprend qu'il les a obtenues avec un lot de matériel audiovisuel. Il collectionne tout ce qui concerne le cinéma, me dit-il : projecteurs, visionneuses, stéréoscopes, lanternes magiques.

— Ce lot vient du Doubs, de ce fait la famille est peut-être de Franche-Comté. Isabelle, les photos, c'est pour une collection ?

Pour une collection ? Peut-être, je ne sais pas, je n'ai jamais rien collectionné. Je ne sais pas pourquoi je les ai achetées mais elles me plaisent.

Je suis moi aussi originaire de Franche-Comté, j'y ai vécu jusqu'à mon baccalauréat, ma famille y est toujours. C'est amusant que les photos en viennent.

Une coïncidence, disons.

Je range l'enveloppe dans un tiroir.

De temps à autre, je plonge ma main dans l'enveloppe, c'est comme un jeu, pour en sortir une image au hasard. Elles sentent un peu le moisi, mon tiroir s'imprègne de l'odeur, je me demande quel voyage elles ont fait pour se retrouver chez moi qui ai si peu de photos de ma propre famille. Pourquoi me les a-t-on abandonnées ?

Un jour, c'est au printemps de l'année suivante, je me réveille et l'idée est là, au milieu de la vie. Il serait tentant de la contourner, de l'ignorer, je l'enjamberais et rien ne se passerait. Mais ça ne se discute ni ne se réfléchit, les idées sont comme les enfants dès les toutes premières heures de leur existence : impossible d'envisager la vie sans elles. Celle-ci occupe tout de suite toute la place, elle me parle sous la douche, elle chantonne jusqu'au métro, elle traverse hors des clous, distrait les réunions de travail, couvre le fracas des casseroles qui préparent le repas, guette ce que je lis par-dessus l'épaule, chuchote *dors bien* et me réveille pourtant au milieu de la nuit, exigeant que je la note, que je la regarde, la jauge et la flatte, que je la caresse dans tous les sens. L'idée, comme l'amoureux, empêche de dormir. Elle trouve qu'on a mieux à faire.

Elle a raison.

L'idée est simple : je dois raconter les gens dans l'enveloppe, les raconter autant que l'on peut, jusqu'à ne te fatigue pas tu ne peux rien en dire de plus. Je sais faire deux choses : inventer des histoires et enquêter. Romancière, journaliste, deux vies. Je sais imaginer des personnages, entendre leurs voix ; je sais retrouver des gens et les écouter.

Dans l'enveloppe, il y a tout de suite deux livres, un roman et une enquête.

Pour éviter tout parasitage, il faudra s'interdire de commencer l'enquête avant d'avoir écrit la fiction et il sera impossible de modifier l'intrigue du roman une fois l'enquête achevée. C'est comme ça, un pacte entre les gens dans l'enveloppe, l'idée et moi.

En mai 2013, je commence à tenir un journal d'écriture.

15 mai 2013

L'Occupation

« La petite fille au pull rayé », tirage papier :

Je l'appelle Sandrine ou Stéphanie ou Laurence. Elle est dans une pièce, un salon sans doute, on distingue le cadre d'un tableau sur le mur couvert d'un papier peint à motifs bruns. Elle doit avoir une dizaine d'années. Elle ne me ressemble pas, ses cheveux sont longs et lisses, châtain clair. Elle a la beauté des enfants graves. Elle regarde sur sa gauche, ses yeux sont bruns. Ses dents sont légèrement de travers, ça donne un charme de fruit à sa bouche ronde.

Elle porte un pull en laine, à larges rayures de toutes les couleurs. Rouge, bleu marine, jaune, blanc, bleu canard, gris. Ce pull – ses couleurs – date la photo. Je peux me raconter que Sandrine ou Stéphanie ou Laurence est née comme moi au début des années 1970, que nous avons entendu les mêmes chansons et rêvé aux mêmes vedettes, qu'elle non plus n'était jamais attachée dans la voiture de son père (il n'y avait pas de ceinture à l'arrière), je peux me raconter qu'elle et moi avons vécu le même genre d'enfance.

Elle est tout de suite mon héroïne de l'enveloppe.

« La grand-mère aux lunettes noires », Polaroid :

Ce qui frappe en premier ce sont ses lunettes noires.

Au centre de l'image, elle est debout, légèrement de trois-quarts devant une fenêtre couverte de rideaux en voile blanc. À droite, un bout de mur, papier peint clair, motif feuillu. Devant elle, une chaise dont on voit le dossier en skaï acajou et une table couverte d'une nappe à gros carreaux marron. Deux verres sont posés sur la table, vides. Et aussi : des livres, peut-être, ou des brochures.

Elle regarde le photographe. Elle ne sourit pas. Sa bouche est fermée d'un étroit trait horizontal. Ses cheveux sont tirés en arrière, bruns. Elle porte une chemise (ou une robe ? je ne vois pas ses jambes) imprimée dans les tons marron-beiges. Le motif semble être des feuilles – ou des fleurs. Par-dessus, elle a enfilé un pull sans manche vert foncé. Elle tient dans ses mains ce qui peut être une blouse fleurie, tissu foncé parsemé de motifs plus clairs. On ne voit qu'une seule de ses mains, l'autre est cachée – ou cache-t-elle quelque chose sous le tissu ?

Elle a l'air méchant ou triste.

C'est la grand-mère.

« Le tableau », Polaroid :

Il est au-dessus d'une cheminée, dans un cadre brun foncé. Le papier peint est le même que sur le précédent cliché : des feuilles (de palmier ?) blanches sur un fond beige.

Le tableau ressemble à la photo de la petite fille au pull rayé. Elle figure de face cette fois et elle sourit. On a dû faire une série de photos ce jour-là. Le portrait peint a probablement été effectué en copiant une de celles-ci.

Sur le rebord de la cheminée, est posé un téléphone gris. Son cadran est rond, son combiné d'un gris plus foncé que le reste. À côté : un petit cadre en bois, des carnets, un miroir, un petit vase bleu et une fleur rouge, une statuette, le feuillage d'une plante verte.

À gauche de la cheminée un petit buffet, haut d'environ 1,50 mètre, est encombré de bibelots. On distingue une poupée en porcelaine, des pots, une petite lampe à pétrole, un vase turquoise. Sur le buffet sont posés un vase blanc rempli de fleurs jaunes, un réveil (la grande aiguille entre le 5 et le 6, la petite invisible) et un cadre avec deux photos en noir et blanc. On devine sur celle de droite un couple en pied, l'homme est en costume, la femme en robe sombre.

La photo est mal cadrée : un homme, le père ?, est en bas à droite, coupé. On ne voit que la moitié de sa tête et son bras droit. Il semble en position de trancher quelque chose dans une assiette. On ne voit pas la table.

On ne voit rien de vivant.

Juste des objets, des souvenirs, des passés.

« Remise de la coupe », tirage papier :

Il y a trois personnes : deux femmes et un homme. Ils sont sur la plateforme d'une caravane de course, comme celles du tour de France. Elles font face au photographe alors que l'homme, de profil sur la droite de l'image, ne le regarde pas. Il tient un micro à bonnette verte et porte une casquette rouge. Les deux femmes sont assez âgées, soixante-dix ans peut-être, celle qui est au centre de l'image a les cheveux gris. Toutes les deux tiennent une coupe. Celle de gauche se cache le visage avec. Elle est habillée avec une robe bleue et blanche sur laquelle est collé un dossard, numéro 291. Elle porte une visière blanche qui laisse sortir des cheveux, un petit sac à main en bandoulière et des sandales. Sur un de ses orteils, on voit un pansement. La femme qui est au centre apparaît sur plusieurs de mes photos. Elle est une des gens dans l'enveloppe. Elle peut être la petite sœur de la grand-mère aux lunettes fumées. Ici elle est en short, bleu à liserés jaunes. Elle porte un débardeur blanc (pas de dossard) et des sandales brunes par-dessus des chaussettes blanches. À son poignet, il y a une montre et à son annulaire gauche, un anneau. Elle sourit franchement, elle a l'air contente. Sur sa jambe droite, les veines apparaissent, elle a peut-être des varices.

Derrière les femmes on voit une coupe posée sur une table et par terre, une pancarte en partie illisible (38 Roussillon est peut-être écrit).

« La grand-mère dans le champ », tirage papier :

À l'exact centre de la photo, il y a sa main gauche. Le pouce est un peu relevé, les autres doigts plongent entre ses jambes. Dans un champ, la grand-mère semble se caresser, seule au monde, sourire Joconde.

Le ou la photographe s'est assis dans l'herbe aussi mais elle ne le regarde pas. Ne lui prête aucune attention. Peut-être ne l'a-t-elle pas vu, peut-être lui fait-elle confiance comme à un autre elle-même. Ou alors elle s'en fiche. Je crois qu'elle s'en fiche.

Elle porte une robe à manches longues et motifs pastel et, en dessous, un jupon jaune. Ses jambes sont nues, on ne voit qu'une seule de ses semelles, l'autre est cachée par l'herbe. Sur sa tête est enfoncé un grand chapeau, paille claire entourée d'un ruban.

On dirait qu'elle est assise sur une bâche en plastique. À sa droite il y a un panier en osier à anse rigide, à sa gauche, la gueule tournée vers elle, un petit chien – un chiot.

Sa main droite est posée à côté de sa jambe.

L'herbe n'a pas été coupée depuis un moment.

Si on la surprend, elle dira qu'elle se gratte.

« Le poulet rôti au camping », tirage papier :

Si l'on cache le bas de l'image, ce sont trois femmes, têtes basses, l'air grave. Celle de gauche a les mains jointes. Celle du milieu est la coureuse qui gagne des coupes, je reconnais ses cheveux gris, celle de droite est une adolescente à l'air profondément triste. Si l'on cache le bas de l'image, ce sont trois femmes en prière devant une tombe. Elles m'évoquent des peintures de la Renaissance, scènes d'affliction devant le tombeau vide du Christ.

Il n'y a pas de tombe, pourtant.

Si l'on regarde l'image en entier on voit que ces trois femmes sont debout devant deux poulets embrochés sur une rôtissoire portative. On aperçoit des caravanes derrière une haie de buissons, elles ont disposé un seau rouge sous l'appareil. J'imagine que le poulet est une habitude dominicale, qu'ils en font cuire tous les dimanches, même au camping. Je surnomme la grand-mère aux lunettes noires mamie Poulet.

La coureuse porte toujours ses sandales brunes sur des chaussettes. La femme à gauche a enfilé un tablier sur une robe bleue et rose.

Cette photo est fantastique et absurde. Elle appelle au roman.

C'est peut-être simplement cela, être romancière : avoir des livres qui poussent dans les interstices de tout.

18 mai 2013

Propriété privée

Je me demande s'il existe d'autres objets que l'on peut ainsi acheter sans en devenir propriétaire.

À qui sont les photos de mon enveloppe ?

À celui qui les a prises, à ceux qui figurent dessus, à moi qui les ai achetées ?

L'achat fait de moi la propriétaire de l'objet photo mais quels droits ai-je sur les gens qui y figurent ? Puis-je disposer de leur image ? Les dix euros à peine que m'aura coûtés cet achat (mais en aurait-il valu dix millions que cela ne changerait rien) me rendent-ils propriétaire de leurs visages, des scènes de famille et de leurs décors ?

Celui qui détient les photos possède ces instants qu'on a voulu figer et puis dont on s'est séparé.

Je suis dépositaire de souvenirs qui ne m'appartiennent pas.

31 mai 2013

Exactement

Nous dînons avec Alex.

Je lui montre quelques photos, je raconte l'idée.

Il jubile, riant d'excitation comme un enfant. Il répète plusieurs fois, visiblement heureux et excité, oui ce mot, excité :

— C'est tellement toi, ce truc, c'est exactement toi.

Après, je pense toujours à cette phrase.

Qu'a-t-il voulu dire ou que n'a-t-il pu retenir ?

Exactement moi, quoi ?

Ces photos un peu mal prises, parfois comiques ?

Ce projet autour d'une mémoire qui ne m'appartient pas ?

(C'est l'exactitude, je crois qui me surprend – que l'on puisse me définir exactement.)

29 juillet 2013

Argentine

Je découvre Buenos Aires. La ville tourne le dos à son fleuve, le rio de la Plata. Elle s'en méfie. De lui est toujours venu le malheur. Il l'a inondée, tant de fois, à la submerger. De 1976 à 1983, les avions militaires le survolaient et y jetaient, parfois encore vivants, les opposants à la dictature. Impossible de savoir combien, parmi les 30 000 disparus de la junte, ont fini par être happés par cette eau qui roule, impératrice brune, à quelques encablures de la ville, si proche qu'on y revient toujours. Le fleuve les avalait. Tous les corps n'ont pas été rendus.

Chaque jour, je veux voir le fleuve, comme si je voulais en vérifier le danger. J'interroge Emilio puis Cecilia, mes amis d'ici, l'un après l'autre, l'un quand l'autre ne sait plus, je voudrais tout connaître, je sens que je les lasse.

Je songe aux Gens dans l'enveloppe, pensées volantes, petits moustiques autour de l'ampoule. Des figures se dessinent. Il y aura la petite fille (Sandrine, vraiment ?). Il y aura sa mère, absente des photos (parce qu'elle les prend, parce qu'elle n'est pas là ? pourquoi n'est-elle pas là : morte ? partie ?). Il y aura encore sa grand-mère, aux lunettes fumées, et cette drôle de femme qui court et gagne des coupes.

Dans mon roman, il y aura un fleuve aussi, qui les menacera et les sauvera, qui les engloutira et les portera.

Voilà, il y aura un fleuve et des femmes.

Des hommes, aussi, mais à côté, un peu derrière.

19 août 2013

Au portail

Hier soir, un début de roman m'a titillé le cerveau. Je n'ai rien noté. S'il survit à la nuit, je verrai, j'ai pensé.

J'ai noté ce matin :

C'est une histoire d'abandons. De l'abandon dont sont capables et victimes les femmes. Trois femmes, trois formes d'abandons, à moins que ce ne soit les trois âges de la vie d'une même femme : l'abandon par la mère, l'abandon amoureux, l'abandon à la mort.

Il y a l'Est immobile et l'Ouest des conquêtes.

Une femme a un enfant très jeune avec un garçon de son village/ville/usine. Elle étouffe dans l'immuable. Elle rencontre un homme. Le besoin de mouvement est plus fort que son enfant : elle suit l'homme en Argentine.

Plus tard, sa fille la cherche à Buenos Aires où sa trace s'est perdue.

Reste une grand-mère, seule. Elle se laisse mourir.

Il y a un fleuve, de l'eau, une menace et un espoir.

La fille s'appelle Laurence (l'eau rance).

D'où viennent les idées ? Je vois celle de faire un roman sur l'abandon comme une femme chassée de chez elle, par un homme violent peut-être, ou la police. Elle s'est présentée au portail avec ses enfants. Je leur ai ouvert, que pouvais-je faire d'autre ?

20 août 2013

6 ans

J'ai six ans, je suis dans la cour de récréation. Je suis présente physiquement et absente pourtant, au regard et à la préoccupation des autres. Existante pour personne, c'est une nature, une cicatrice invisible mais une force aussi – d'espion. Assise contre un mur, je les regarde jouer. Je glane, et ils n'en savent rien, de quoi me constituer un petit catalogue de caractères humains. Plus tard, j'ai vingt ans, j'ai trente ans, j'ai quarante ans et toujours, je ne fais que cela : observer les gens et me raconter leurs vies, imaginer ce qu'ils sont, ce qu'ils vivent, les aimer ainsi secrètement – et m'imaginer aimée.

L'enveloppe où m'attendent les Gens est une cour de récréation.

21 août 2013

Rentrée littéraire

Jour de sortie pour *Daffodil Silver*.
Christophe m'écrit :
— Quand un livre sort, il faut déjà être ailleurs.
Je pars ailleurs, aux Gens dans l'enveloppe ; je pars à Laurence.

30 août 2013

Raté(s)

J'aime que les photos soient floues et mal cadrées. Leur fragilité est leur beauté. Ainsi est attestée leur intimité. On ne les a montrées qu'à très peu de gens, ces photos ratées, ni envoyées à la famille ou encadrées sur le buffet.

En les ratant, le photographe s'immisce dans les photographies, c'est son mouvement que je vois dans le flou, son impatience dans le contre-jour, son trouble dans un cadre mal ajusté ; il dit « Intéresse-toi à moi, ne m'oublie pas, je suis là ».

18 septembre 2013

Erreur 404 cette page n'existe pas

Écrire est une superstition.
Si je ne marche pas sur les lignes, personne ne meurt.
Si j'écris mes disparus, ils réapparaîtront.
Pourtant.
Les livres s'écrivent et sortent, les livres se lisent, jamais ne reviennent les disparus.
Ça ne marche pas.

20 septembre 2013

Alex

Alex aimerait qu'on travaille à un projet de spectacle ensemble.

Il me dit Pensons-y.

Quelle drôle d'idée.

Mais Alex.

Je racle mon cerveau, pense au dernier juif d'Afghanistan, à une enfant retrouvée par son père des années après avoir été enlevée par sa mère, à un crime commis au fond d'une forêt. J'imagine une fable animalière.

Je pense à tout mais je ne pense pas à l'enveloppe. Elle est pourtant là, avec ses images, ses gens qui n'attendent que nous pour lancer la cuisson du poulet sur scène.

Dans le train qui nous ramène de Besançon, Franche-Comté, cette ville que nous quittons depuis vingt ans, nous en parlons. En quelques minutes, tout est là. Il écrira des chansons originales à partir de mon roman et si je les retrouve, il chantera les reprises des chansons qui ont accompagné la vraie vie des Gens.

Les Gens dans l'enveloppe seront un roman, une enquête, des chansons, un spectacle peut-être.

Notre histoire, aussi.

6 octobre 2013

Eux et moi

On s'en souviendra tout le temps, du premier jour d'écriture. Un dimanche, le bureau avait des murs de première fois, la tranquille rêverie que c'était.

J'ai choisi les prénoms : Laurence la petite-fille, Michelle et Serge, ses parents, et Simone, sa grand-mère. Manque encore celui de l'Argentin qui emporte Michelle – Germinal ? Paco ? Horacio ?

Je serai bien puisque je serai avec eux.

Il y a un endroit infinitésimal où l'on est exactement à sa place. Le faire, c'est essayer de le retrouver encore.

19 octobre 2013

Le réel imaginaire

Rétrospective Pierre Huyghe à Beaubourg. Sorti d'une œuvre (à moins qu'il ne s'y rende), un chien blanc à la patte rose se promène au milieu des visiteurs.

Un vrai chien imaginaire : cela m'enchante au-delà de tout. J'ai cinq ans, je peux parler à des fantômes joyeux, habiter des forêts sans arbre, être l'amie de quelqu'un que je n'ai jamais vu, caresser un chien blanc à la patte rose, et ne pas m'inquiéter de cela.

Les gens dans l'enveloppe sont à cette précise intersection – intérieur/extérieur, absence/présence, fiction/réalité – qui doit s'appeler ma place.

Mon livre est un chien blanc, il a une patte rose.

1er décembre 2013

Le lit des absents

Les romans sont des abris où retrouver les disparus. Écrire, c'est construire leur refuge, assembler des branchages, bâtir des murs, préparer les lits, penser à la liste des courses et aux chansons que l'on chantera après le repas. C'est les attendre au bout du chemin, la nuit est tombée déjà, ils sont en retard.

De l'organique, de l'eau, du sable, je prépare un mortier. Les mains sales de malaxer la matière, toujours y reviennent.

Ce serait une forêt et je devrais la traverser, seule.

J'ai tout le temps peur mais c'est chez moi.

2 février 2014

Qui sont les vrais ?

Laurence, Serge et Simone habitent le papier brillant des photos avec l'assurance qu'ont les personnages lorsqu'on les prend au sérieux. Ils existent, bien sûr qu'ils existent. Toute la journée, et la nuit encore, ils existent.

Parfois un détail que je n'avais pas encore remarqué sur un des clichés me saute aux yeux. Une sorte de petite décharge électrique. Les gens sur les photos ne sont alors plus Laurence, Serge ou Simone mais des inconnus dont je ne sais rien. Apparaît, désossé et brut, un peu inquiétant, le squelette de ma démarche : je veux du romanesque mais j'écris sur de vraies personnes.

Dans l'enveloppe, il y a deux ou trois contradictions.

26 février 2014

La vie-secondes

Je me souviens de ma stupéfaction lorsque, lors d'un dîner chez lui, Florent m'a montré sa belle collection de photos amateur. On oublie toujours que le marché est un animal liquide, qui s'immisce partout : tout ce qui peut s'acheter se vend, merci de laisser morale et sentiments à l'entrée de la galerie commerciale. Le lendemain, je suis allée à mon tour sur le site de ventes aux enchères où il avait acquis la plupart de ses photos. Des milliers de clichés amateurs étaient à vendre. Parmi eux, un lot de Polaroid, mes gens, mon enveloppe.

Par la transaction marchande les photos changent de nature. D'intimes elles deviennent universelles, de souvenirs personnels elles se transforment en objets de collection. Prennent-elles ou perdent-elles de la valeur ?

— Ces photos sont orphelines, me dit Florent, elles n'ont plus personne pour s'occuper d'elles.

Oui, c'est ça. Les photos des Gens dans l'enveloppe sont deux fois orphelines : clichés d'un temps perdu et images bradées à un brocanteur inconnu. L'émotion de celui qui a voulu fixer ce moment ne compte plus.

Tout a disparu.

Rien n'a existé.

Je regarde les photos, je ne vois rien de ce qui a été.

Bouge, fais-nous du flou ou alors, pitié, ne me vois pas.

Je ne sais toujours pas dire précisément ce qui m'émeut dans les photos. Elles me parlent de ce qui se vit et se meurt en même temps. Elles me racontent la beauté de l'instant unique qu'on ne revivra jamais. Elles me chantent l'effort vain de l'humain pour retenir la vie. Tracer un trait sur la paroi de la grotte, modeler une glaise, graver le tronc d'un arbre, fixer la lumière sur la pellicule. Écrire un mot. Dire j'étais là, tu étais là.

On ne retient pas la vie, on peut juste s'en souvenir. La vie est comme les secondes, elle se fiche de nos efforts, elle coule dans son perpétuel effacement. Du sable entre les doigts, une goutte d'eau sur une pierre chaude.

Je suis un nombre négatif, je retranche tout et je ne retiens rien. Ou l'inverse, retiens tout ne retranche rien.

Pourquoi les photos ont-elles été vendues ? Pour se débarrasser de quelle histoire ? Quels mauvais souvenirs vais-je réveiller ?

Emmanuelle dit :

— Imagine s'il y a eu un drame.

Un drame ? Cela me semble évident. Dans quelle famille n'y en a-t-il pas ?

Le temps et l'espace sont les seules choses qui relieront les deux livres, le roman et l'enquête. Le roman se déroule aux lieux et moments où ont été prises les photos. Pourtant je réalise que la photo de Laurence (le portrait au pull rayé, à partir duquel, dans le roman, Michelle réalise sa peinture avant de partir) date de 1983 et non de 1978 comme je l'ai imaginé. Un autocollant derrière le cliché, « Super photo protection longue durée 1983 », l'atteste et en fait une des rares photos datées de l'ensemble – je ne le découvre qu'aujourd'hui.

Cinq ans de différence. Je pourrais réajuster le texte en fonction de cette date. Je ne le fais pas. Cette erreur crée un décalage qui nous protège, moi comme romancière, eux comme personnes. Le décalage dit Ceci est une fiction, la preuve : les dates sont fausses. Il insiste : Vous voyez bien qu'il ne s'agit pas de vous, mais de nous, nous tous, nous total, puisque les dates ne coïncident pas.

Ce décalage délimite la zone où se tient le projet : la subjectivité du roman, la vérité de l'enquête, à moins bien sûr que ce ne soit précisément l'inverse.

29 mars 2014

Grotte

J'avance dans le roman, je suis au travail – comme on dirait appartenant au travail bien plus que le maîtrisant.

Aussi : j'ai découvert Thierry Metz.

« *Le petit escalier de ton nom me suffit, qui mène au framboisier, à la tanière d'un mot. Qui respire.* » (Lettres à la bien-aimée)

La poésie me plaît plus que tout, qui cloue des épines aux syllabes.

Je veux que Laurence écrive des poèmes.

11 septembre 2014

Gigognes

Six mois que je n'ai pas ouvert ce journal.
Le roman est écrit.
Était-ce cela que je voulais dire ?
Cette langue que je voulais parler ?
Je ne sais toujours pas quelle romancière je suis.

Voilà l'heure de l'enquête. Je trie enfin les photos.

J'ai collé au mur de mon bureau la plupart des Polaroid. Ne restent dans l'enveloppe d'origine que les tirages papier. J'ai écrit un roman à partir d'elles, depuis un an elles habitent mon esprit mais je les regarde ce matin, on dirait, pour la première fois.

Ce qui me frappe encore, c'est leur odeur. Un moisi qui ne s'estompe pas et prend mes doigts aussi.

Je les étale sur mon lit. Je voudrais trouver l'ordre auquel elles répondent, l'histoire qu'elles racontent – vraiment.

Pour les classer, j'utilise des petites enveloppes par thème. Les petites enveloppes des Gens dans l'enveloppe.

Laurence a peut-être deux ans sur la série que j'appelle « Petite au panier », elle est dans les bras de son père, tient la main de son grand-père, mamie Poulet n'est pas loin. Ils se photographient dans un champ. Ils ont mis un chapeau à l'enfant, c'est l'été, dans le panier j'imagine des cerises et ils font attention à ce qu'elle n'avale pas les noyaux.

Elle a huit ans sans doute désormais et elle approche sa main de la bouche d'un cheval (petite enveloppe « Laurence et chevaux »). Elle les aime. Une autre fois, on la voit monter, et derrière elle une pancarte indique le nom d'un centre équestre.

La petite enveloppe la plus épaisse est celle du camping. Je vois sur une table la boîte d'un pâtissier. Elle a dû contenir une tarte ou un gâteau. On lit clairement Tain-l'Hermitage sur l'emballage. Une piste. Appeler le pâtissier ? Au camping, il y a toujours Mimi, la coureuse. Elle est attablée avec des personnes. Elle pose devant une caravane avec une femme. C'est avec cette femme qu'elle regarde rôtir le poulet sur la rôtissoire portative.

Je dis Laurence, Simone, Michelle. C'est une habitude, un réconfort aussi. Je dis Laurence, je devrais écrire « Laurence ». Je dois commencer à leur mettre des guillemets, signes du faux, de l'à-peu-près, du monde fictif.

Mais insérer des guillemets n'est pas facile, petite violence qui revient à lâcher la main de mes personnages.

Le guillemet introduit un doute, il impose, déjà, de renoncer au roman.

Avec les petites enveloppes, je fais un tas bien droit et je le glisse dans la grande enveloppe.

Tout est rangé.

Ça peut commencer.

12 septembre 2014

Et si ?

Je dois commencer l'enquête.

Je me mets devant l'ordinateur et je ne commence pas l'enquête, je trouve mille raisons de ne pas la commencer.

Je me souviens du travail comme journaliste, la même timidité avant de décrocher le téléphone. Et si je n'y arrive pas ? Et si je ne les trouve pas ? Et s'ils me repoussent ? Et comment présenter mon projet ? A-t-il au moins un intérêt, mon projet ?

Et si la « vraie » histoire affadit mon roman, détricotant l'entièreté de mon travail des mois passés ?

La semaine des questions sans réponse.

Lundi, je me mets à l'enquête.

15 septembre 2014

Le clocher

Les retrouver, au fond, est impossible. Ces gens-là n'ont laissé aucune trace, ou si peu. Ils sont les véritables Disparus, même pas sacrifiés à une folie politique, même pas déportés jusqu'à l'innommable cendre. Ils sont toutes les vies qui passent et s'oublient en deux pelletées.

Je n'ai presque rien pour partir à leur recherche.

Une plaque d'immatriculation : il lui manque une partie du premier nombre et je ne connais personne qui accepterait de plonger dans les archives des cartes grises pour me dire à qui cette voiture appartenait.

Le centre équestre où « Laurence » a été prise en photo. Des centaines de gamines ont dû passer par là et les encadrants ont dû changer en trente ans. La probabilité que quelqu'un se souvienne du visage de « Laurence » est extrêmement faible.

Le barrage du Châtelot : seul lieu légendé sur les photos, ils y allaient en famille, ce n'est peut-être pas loin de chez eux. Mais qui pourrait me dire qui sont ces promeneurs du dimanche ? Le barrage, s'il a une mémoire, sera muet comme la pierre.

Il faudrait que je trouve le nom de leur village. Alors, j'irais sur place, je montrerais mes photos aux personnes âgées, elles me diraient leur nom de famille. Si j'ai le village, j'ai les Gens.

Mais le village ?

Je prends une carte de la région. Autour du barrage du Châtelot, semées sur le plan, apparaissent des communes du Haut-Doubs. Villers-le-Lac, Les Fins, Morteau, La Chenalotte, Le Barboux, Le Russey. Ces noms me sont familiers. Mon grand-père paternel était originaire du plateau et, même s'il s'y rendait peu souvent, il nous en parlait parfois. Nous avons enterré sa dépouille là, dans un tout petit cimetière sous une belle neige de janvier. C'est l'image qui me reste. Des tombes couvertes de neige. Beaucoup portaient mon nom de famille.

« Simone » a-t-elle marché sous cette neige, à se geler les joues et les pieds ? « Serge » est-il vraiment un enfant du plateau ? Et « Michelle », une échappée ?

Sur l'écran je fais défiler quelques photos, je traque un détail qui me dirait Suis-moi, je t'emmène jusqu'à

Laurence. Je suis Colombo, je suis Les Experts, je suis Carrie Mathison.

Je m'arrête sur celle où « Laurence » pose avec son grand-père « Raymond ». C'est l'été, elle est en maillot de bain. Les minuscules triangles de tissu ne cachent rien de sa maigreur de petite fille, elle doit avoir six ans. Son ventre se dessine, on en devine la paroi tendue, une peau de petit tambourin. Elle porte des méduses en plastique aux pieds, elle a dû se baigner avant la photo, dans un lac peut-être ou une rivière. Ils se tiennent droits, main dans la main, face au photographe à qui ils sourient. Ils ont l'air de bien s'entendre. Je n'ai pas de photo avec mon grand-père. Celui de « Laurence », « Raymond », est en pantalon et polo, l'herbe devant eux est rare, c'est la terre sèche et pauvre de l'été. Lui ne s'est pas baigné. Il a une montre au poignet gauche.

Derrière eux, je ne sais pas, buissonnent des feuilles de rhubarbe peut-être. Je ne suis pas douée en plantes potagères. Autrefois j'accompagnais pourtant ma grand-mère au jardin et je voyais son corps se courber, sa douleur faisait de petits bruits lorsqu'elle le pliait, elle bêchait, arrachait, cueillait, nous ramenions toutes sortes de choses. J'aimais, par-dessus tout, ses tartes à la rhubarbe.

Derrière les plantes, un grillage, une petite rue que le regard traverse vite jusqu'à un mur de pierres. Puis un arbre, quelques toits, une maison aux volets rouges et à l'étage bardé de bois brun. Un poteau électrique en béton. Un clocher enfin. La forme arrondie de son toit est banale pour une église comtoise. Par une petite ouverture, on doit apercevoir la cloche, sous elle se trouve une horloge, elle est ronde, et sous l'horloge une bande plus claire que la façade.

Une bande blanche.

Peut-être.

Si je retrouve la bande blanche, je retrouve le clocher. Si je retrouve le clocher, je retrouve le village. Si je trouve le village, je trouve la famille.

Google search : clochers franche comté

Autant jeter une pièce dans une fontaine pour que mon vœu se réalise…

Je n'ai pas le temps de formuler mon vœu – faites que je trouve « Laurence ». Un site me propose déjà 700 photos de clochers, répartis en deux galeries.

Je ris, de surprise et d'excitation. Quel est l'esprit qui a eu l'idée de recenser les clochers de la région ? À quelle sorte d'obsession ai-je affaire ? Religion, architecture, passion des bandes claires ?

Les photos de clochers s'alignent sur mon écran. Je n'ai plus qu'à les examiner un à un.

Le premier et le troisième des clichés montrent des clochers dont l'horloge est au-dessus de la cloche.

Le deuxième n'a pas d'horloge.

Le quatrième a une horloge carrée sous la cloche.

La cinquième photo : l'horloge est sous la fenêtre, elle est ronde, et l'on voit distinctement sous elle une bande de pierres claires.

Incroyable.

J'ai trouvé le clocher des Gens dans l'enveloppe. Il est moins gris que sur la photo, mais c'est lui, à 99 %.

Leur village s'appelle Clerval.

Clerval.

Mon aiguille dans la botte de foin, mon vœu, ma pièce jetée par-dessus l'épaule, ma fontaine. Faites, oh faites, que « Michelle », « Laurence » et tous les autres soient en vie.

16 septembre 2014

Rue Basse

Gérard B. tient le site appelé « Le Portail de Clerval ». Il y fait la chronique du village au jour le jour et a mis en ligne des milliers de photos d'archives. Il ne connaît pas les Gens dans l'enveloppe mais il propose de m'aider. Sa mère a tenu pendant des années la boucherie du village. Elle connaît tout le monde et la vie de tout le monde, me dit-il au téléphone. Il va lui montrer ce soir les photos que je lui ai envoyées.

Ce soir.

Si vite.

Sur les images, Gérard a reconnu non les visages mais les lieux : les Tanneries et les jardins de la « rue Basse ». Il dit ces mots, « la rue Basse », et j'entends les voix de mes grands-parents paternels quand ils nous emmenaient en promenade, dans leur village à eux, à quelques dizaines de kilomètres de Clerval.

Qui vivait rue Basse ?

Je crois sans en être certaine qu'il s'agissait de Mme Dubois, cette vieille femme que nous visitions rituellement, et je nous revois, ma sœur et moi, assises mains sur les genoux, attendant l'ouverture infiniment repoussée « du » tiroir ; il fallait pour cela que s'achève le déplacement de Mme Dubois, si grosse, si large, si lente que nous n'étions jamais assurées qu'elle vivrait jusqu'au buffet où elle conservait, toujours reconstitué à notre intention, un petit stock de Rochers Suchard. Quand elle finissait par ouvrir le tiroir et nous les offrir, nous les dégustions sans un bruit, le chocolat fondant sur nos doigts courts, enfin absorbées par une occupation qui nous absolvait de l'ennui de la discussion des adultes tournant immanquablement autour de François Mitterrand. Mme Dubois avait été institutrice comme mon grand-père, et c'est comme s'il s'autorisait avec elle à avoir des discussions bouche pincée – elle était d'ailleurs une des rares personnes du village à être nommée par le respectueux madame, contrairement à Micheline, Pierrette, Marcel ou Mimile, les autres figurants de la vie de mes grands-parents. Le médecin, aussi, avait droit à son nom de famille. Et le maire. La maison de Mme Dubois, sur la gauche juste avant la charcuterie (Pillet ou Pillard ?, je me souviens du papier rose qui emballait les tranches de jambon), sa maison avait des airs de ville, des rideaux fins, une odeur de livres, un piano peut-être. Pour arriver à sa cuisine où nous nous asseyions face au tiroir et à un poêle éteint, nous passions par deux ou trois pièces minuscules qu'elle emplissait de son vaste corps, et la première donnait sur la rue, pièce d'entrée meublée d'un petit lit clair et d'un bureau dédiée aux photos de son mari décédé – peut-être à la guerre me souffle ma mémoire hésitante. Je me souviens de la sensation d'asphyxie à l'idée de devoir traverser ce qui ressemblait à la crypte d'un mémorial dédié à son souvenir, suivant le pas pénible de sa femme, mais je ne me rappelle pas son prénom. Edmond, Edmond Dubois peut-être ? Plus personne n'est là pour me le dire.

Gérard m'a dit Rue Basse et j'erre dans les ruelles de mon enfance. C'est parce que « Raymond » et « Simone », et « Michelle », et « Serge » et « Laurence » sont toujours suspendus entre mes guillemets. Je prie pour que Mme B., ancienne bouchère à Clerval – emballait-elle sa viande du même papier rose ? –, les reconnaisse.

Si je reste bien droite sans bouger je finirai par prendre racine moi aussi.

De: Gérard B.
Objet: photos Clerval
Date: 16 septembre 2014 16:54:24 UTC+2
À: « isabelle monnin »

J'ai montré à ma mère les photos que vous m'avez envoyées.

Elle me confirme qu'il s'agit d'une famille qui habitait dans le quartier de la rue Basse, à Clerval, une maison au bord de la rivière. (La maison est actuellement en vente. Elle est inhabitée depuis plus de vingt ans.)

Il semblerait qu'aucune des personnes visibles sur ces photos ne soit encore domiciliée à Clerval. À mon avis, la plupart sont décédées.

La dame âgée s'appelait M[1].

Ma mère (quatre-vingt-quatre ans) se souvient d'une dame très douce, très gentille « qui parlait bien ». Mais elle ne peut pas m'en dire beaucoup plus sur le reste de la famille.

L'homme jeune que l'on voit poser avec elle serait son petit-fils. Elle se souvient vaguement de la femme en tenue de sport : « elle sautillait toujours quand on la rencontrait… »

Pour trouver d'autres informations, je vais aller voir l'ancienne secrétaire de la mairie de Clerval. Elle s'occupait de l'état civil et connaissait tout le monde.

Je pourrais aussi aller voir M. R. et Mme H., des anciens voisins de cette famille, à la rue Basse. Si vous venez à Clerval, vous pourrez également les rencontrer.

Cordialement

Gérard B.

La dame aux lunettes fumées s'appelait Mme M. « Mamie Poulet » M.

« Simone » M.

Les Gens dans l'enveloppe sont les M.

Deux jours à peine que je la cherche et je connais déjà le nom de famille de « Laurence ».

1. Par respect pour la famille M., son patronyme est gardé secret. De la même manière, les gens rencontrés au cours de l'enquête seront désignés par leur prénom et l'initiale de leur nom de famille.

17 septembre 2014

5 rue de la Traverse

Chercher « Laurence ». Ne pas se demander si cela a un sens (sinon, arrêter). Se surprendre à la guetter sur tous les visages anonymes de la ville. Suivre l'idée, répondre à ses injonctions.

La chercher aujourd'hui consiste à passer des heures sur le site des archives départementales à traquer un détail qui l'annonce. Les archives concernant les deux recensements de 1906 et 1911 ont été numérisées. Je m'y plonge.

Comme le veut l'administration soucieuse de connaître chacune des personnes vivant en France, chaque maison de Clerval a été visitée. Celle du 5 rue de la Traverse est habitée par la famille de Victor M., né en 1871 à Voillans. Présenté comme « cultivateur », « patron » et « chef de famille », il est marié à Marie C., née en 1874 à Paris.

Au début du xxe siècle, la famille de Laurence vivait déjà dans la maison où on la photographiera plus tard.

En 1911, le recenseur compte six enfants dans la maison : Marthe, Eugène, Marcel, Léon, Hélène et Georges nés en 1897, 1899, 1902, 1905, 1908 et 1910. Parmi eux figure sans doute un ancêtre de mon héroïne.

Il note aussi la présence de deux jeunes hommes extérieurs à la famille : Paul B., un cultivateur présenté dans la colonne « situation par rapport au chef de ménage » comme « domestique » et Marcel C., décrit comme « pensionnaire » et « maréchal ferrant ».

Avant d'être celle de « Laurence », la maison où ont été prises beaucoup de mes photos a été celle de cette génération dont les prénoms s'alignent sur le registre aux majuscules bien calligraphiées. J'imagine une demeure pleine d'enfants en bas âge, une famille assez aisée pour avoir des terres, des bêtes peut-être, et un domestique. J'imagine une Parisienne faisant siennes les couleurs de Clerval et enfantant avec régularité, de vingt-trois à trente-six ans. Née un siècle avant moi, Marie C. est la matrice des Gens dans l'enveloppe. Je songe à ce qu'elle pouvait rêver pour chacun de ses enfants, des aventures frémissent sous chaque prénom.

Lequel, d'Eugène, Marcel, Léon ou Georges, est le mari de ma « Simone », la grand-mère aux lunettes fumées (oh comme j'aimerais que ce soit Eugène) ? Comment l'a-t-elle connu ? Où se sont-ils donné des douceurs pour la première fois ? J'ai beau plisser les yeux, les archives ne me disent rien d'autre.

18 septembre 2014

Les M.

Au réveil, je trouve un mail de Gérard B.

Bonjour Isabelle Monnin,
J'ai trouvé quelques renseignements sur des membres de la famille M., de Clerval.
(…)
— Le berceau de la famille M. est le village de Voillans. Un certain Joseph M., originaire d'Autriche, est arrivé en 1843 à Voillans où il s'est installé comme tailleur de pierres.
— Victor M. est décédé le 17 octobre 1934 à Clerval. Son épouse le 14 octobre 1936.
— Marcel M., un des fils de Victor, a épousé, en 1931, Jeanne L., la fille du boulanger de Clerval chez qui il travaillait. Il a repris la boulangerie à son compte. Il est décédé en 1968 à Clerval.

— D'après le témoignage de ma mère qui a retrouvé quelques bribes de souvenirs au sujet de cette famille :

Plusieurs des enfants de Victor M. sont partis s'installer à Lyon dans les années 1930. L'un exerçait le métier de tripier dans un abattoir de Lyon. Un autre aurait été proxénète… Ils sont tous rentrés à Clerval pendant l'Occupation. La vie était sans doute plus facile à la campagne qu'en ville.

L'un des frères M. était alors surnommé par les habitants de Clerval, « le Cul-en-or », peut-être parce qu'il était fortuné. (Chaque habitant de Clerval avait son surnom, pas toujours flatteur !)

— D'après des documents d'archives, un autre fils de Victor M., Georges, né en 1910, est entré dans le groupe de maquisards FFI de Clerval le 6 juin 1944. Il a participé aux combats locaux de la Libération. Puis il s'est engagé le 1er novembre 1944 dans l'armée française, au régiment colonial de chasseurs de chars (RCCC) pour continuer la lutte contre l'armée allemande. Il a été blessé dans les combats quelques jours plus tard.

C'est tout ce que j'ai trouvé, pour le moment. Je ne sais pas encore lequel des frères M. était surnommé « L'Aveugle » : Eugène, Léon ou Georges ? Je sais seulement que « L'Aveugle » habitait la maison de la rue Basse dans les années 1950-1960.

Je suppose que je pourrai éclaircir tout cela dans quelques jours. On pourra alors identifier les personnes qui sont sur vos photos.

Cordialement

Gérard B.

Le cul-en-or, l'aveugle, le tailleur de pierres, le boulanger et le maquisard.

D'autres images viennent, d'autres romans que l'on pourrait écrire.

Je me demande qui est Gérard B., qui m'offre le passé de mes gens, la géographie de leurs gènes.

C'est étrange : aujourd'hui, je connais les prénoms de leurs ancêtres, Victor, Marie, Marthe, Eugène, Marcel, Léon, Hélène et Georges, mais je ne sais toujours pas comment s'appellent « Laurence », « Serge », « Simone » et « Michelle ».

On me les laisse encore un peu, bercés dans leurs guillemets.

19 septembre 2014

Appeler les gens

Je téléphone au notaire en charge de la vente pour fixer un rendez-vous de visite de la maison de Clerval. Je ne parle pas de mon enquête. Cela ne regarde que les Gens et moi.

La dame qui me répond a l'air surprise de ma demande, cette vieille baraque dont personne n'a jamais voulu ! Elle doit se renseigner pour savoir où sont les clés.

Elle dit :

— Je vais appeler les gens.

Oh oui madame, appelez les gens.

20 septembre 2014

« Elle est en zone rouge, inondable. »

De: Gérard B.
À: « isabelle monnin »
Objet: Suite de l'enquête sur la famille M., de Clerval
Date: 20 septembre 2014 00:00:59 UTC+2
Bonjour Isabelle Monnin,
J'ai rencontré les personnes âgées de Clerval dont je vous ai parlé. (…)

— J'ai appris, que « l'Aveugle » était Eugène M. Il habitait bien la maison en question rue Basse, dans les années 1950-1960.

— Il a eu deux enfants : un garçon Gaby et une fille Germaine.

— Eugène est décédé à Lyon où il était hospitalisé.

— Gaby aurait fini sa vie comme clochard à Lyon. On l'aurait retrouvé mort sous le pont au Change…

— Germaine faisait de la course à pied. On la voyait tous les jours faire son footing quand elle était en séjour à Clerval… Elle serait la mère de Michel M. (fils naturel) qui est le propriétaire actuel de la maison et qui résiderait à Montbéliard. Elle n'était pas mariée, elle vivait avec un certain P., à Lyon.

Au sujet d'Eugène, il n'était pas aveugle de naissance. Il y a plein d'histoires qui couraient à son sujet, au village…

Au sujet de Georges M., frère d'Eugène : c'est lui qui était surnommé « le Cul en or », non pas à cause de sa fortune comme je le croyais, mais parce qu'on lui avait fixé des plaques de métal dans le bas du dos, à la suite des blessures qu'il avait subies dans les combats en novembre 1944 (explosion d'une mine). Il a exercé la profession d'armurier, ou de vendeur d'armes à Lyon… et à Clerval.

Au sujet de la maison, elle est en zone rouge, inondable. C'est pour cela que personne ne l'a achetée. Ses fondations reposent sur l'ancien rempart du village.

Si vous arrivez par le train, je pourrai vous attendre à la gare et vous conduire au centre-ville.

Si vous prenez votre repas de midi à Clerval, je vous conseille « Le café-restaurant de la Paix » ou la « Bonne Auberge ».

Cordialement

Gérard B.

Eugène, l'aveugle.

Eugène, le prénom de mon éphémère enfant, un souffle de vie et puis s'en va – et me reviennent les odeurs de l'hôpital.

Je trouve des signes partout.

Petit Eugène ne voit pas le jour, vieil Eugène est aveugle.

Nos vies extraordinaires.

C'est elle qui portait des lunettes noires mais c'est lui qui n'y voyait rien. Ou alors il était faussement aveugle. Y a-t-il pire aveugle que celui qui ne veut pas voir ? Que ne voulaient-ils pas voir, les Eugène ?

Je me suis trompée dans le roman (mais non, on ne se trompe jamais dans un roman, tout est vrai puisque tout est inventé) : je découvre que « Mimi » s'appelle Germaine et qu'elle n'est pas la sœur mais la fille de « mamie Poulet ». Elle courait et avait un fils naturel. Une femme libre, sans doute mal vue.

Mon cœur se tord à l'évocation de son frère Gaby, mort en clochard à Lyon. Gaby, mon « Serge », dont j'avais senti le désespoir, le plus-rien-ne-compte.

Comment pouvait-il être sans abri alors que la maison était vide à Clerval ? Pourquoi n'y a-t-il pas vécu ? Celle que je pensais être sa tante (Mimi-Germaine) était en vérité sa sœur, comment s'entendaient-ils ?

Et la petite « Laurence », dont personne ne parle ?

Quel drame s'est joué dans cette maison qui lui a valu d'être vidée après près de cent ans de présence de la famille M. ?

Que la maison soit en zone inondable, menacée par l'eau de la rivière, me trouble plus que tout. Est-ce l'odeur de ces photos, d'humidité indétachable, qui a amené jusqu'à moi cette idée d'eau qui prend les corps et ne les recrache pas ? À Clerval, le Rio de la Plata s'appelle le Doubs.

Tout part à la rivière.

Il me faudra rencontrer Michel M., de Montbéliard.

Il me racontera Gaby-« Serge », et me conduira jusqu'à « Laurence ».

23 septembre 2014

« Simone »

Toute commune conserve ses tables décennales : la liste des naissances, mariages et décès, enregistrés chaque année, par ordre alphabétique. Celles de Clerval sont disponibles en ligne jusqu'en 1932.

Je cherche dans les mariages.

Page 4, la page des M.

Le 23 octobre 1920, Maurice Eugène Marcel M., dit Eugène, s'est marié avec Laurence Francine Lucie A.

« Simone » s'appelle Laurence.

Je le lis plusieurs fois à haute voix.

Il y avait bien une Laurence dans l'enveloppe, ce n'était pas la petite fille au pull rayé mais la grand-mère aux lunettes fumées.

À la page des décès, je note qu'un petit Charles M. est mort à l'âge de cinq ans le 10 novembre 1918, la veille de l'armistice. Je ne sais pas de qui il était le fils, je pense à la journée glacée qu'a passée sa mère quand tous fêtaient la fin de la guerre.

Je déjeune avec Alex, il me parle du roman qu'il a lu. Il lui servira de base pour l'écriture des chansons. Il lui plaît, me dit-il, sauf peut-être le passage avec Hans, l'Allemand.

— Ça fait un peu roman terroir, je ne suis pas forcément convaincu.

Oui mais j'ai commencé l'enquête, je ne change rien à l'intrigue du roman.

Le pacte l'interdit.

24 septembre 2014

Le bébé des archives

Puisqu'il faut passer par elle, je pars à la recherche de l'autre Laurence, la grand-mère aux lunettes noires de l'enveloppe. Sur Internet, se trouve la reproduction d'une page du *Moniteur Viennois*, « journal politique, littéraire, d'annonces judiciaires et commerciales paraissant le vendredi soir ». Son édition du vendredi 13 décembre 1901 donne les nouvelles de l'état civil de la ville de Vienne de la semaine passée. C'est ici qu'est notée, offerte à la connaissance des lecteurs du journal et à la mienne plus d'un siècle plus tard, la venue au monde de « Laurence-Lucie A., route d'Avignon, 39 ».

Je suis émue comme si l'on me présentait le nourrisson dans son couffin.

Je m'en sens responsable désormais, comme d'un tout petit enfant dont je devrais retrouver les parents, pour qu'elle ne reste pas toute seule dans les archives jaunies des vieux journaux. Je veux savoir les prénoms de ses parents et si elle avait des frères et sœurs. Je cherche une famille à « mamie Poulet ».

Lors du recensement de 1906, la route d'Avignon est occupée par le 19e régiment de Dragons, un régiment de cavalerie pour lequel une caserne a été édifiée près du Rhône. On y trouve des maréchaux des logis, des vétérinaires, des domestiques, des magistrats, un général et des adjudants, mais j'ai beau repasser plusieurs fois sur les écritures alambiquées à la plume, la famille A., celle de la petite Laurence-Lucie qui a alors cinq ans, n'apparaît pas. Elle échappe.

Que s'est-il passé pour qu'elle naisse ici sans que sa famille ne soit recensée ? Étaient-ils de passage ? Incognito ? Sa mère est-elle venue accoucher là en cachette ? Était-elle une enfant illégitime ? Le romanesque, tout de suite, glissé dans les langes de petite de la route d'Avignon.

Et plus tard ? Où était Laurence-Lucie lorsque la Grande Guerre a éclaté ? Elle avait treize ans en 1914, quels étaient ses rêves, ses angoisses ? Dix-sept ans en 1918. Protégeait-elle ses yeux, déjà ?

25 septembre 2014

Effacer les guillemets

C'est un jeudi.

Clerval est à une soixantaine de kilomètres de chez mes parents. Ils me prêteront une voiture, je dormirai chez eux, dans ma chambre d'adolescente, c'est plus simple et je serai mieux qu'à l'hôtel. Mon père m'attend à la gare de Besançon, sa silhouette dans le grand hall, comme autrefois lorsque, deux vendredis par mois, la petite étudiante que j'étais rentrait à la maison.

La voiture est une petite cylindrée, l'autoroute lui convient mal, elle vrombit de partout ; impossible d'écouter la radio, impossible d'entendre, alors que l'autoroute me porte vers l'Est, le brouhaha qui agite mon cerveau.

Que vais-je trouver, là-bas ?

Comment vont-ils m'accueillir ?

Que dois-je dire pour les convaincre de m'aider ?

Je quitte l'autoroute et rejoins la vallée creusée par le Doubs. C'est une première rencontre. Comme si je découvrais seulement la rivière qui donne son nom au département où j'ai grandi. Lorsque j'étais enfant nous n'allions pas nous promener sur ses rives ou jouer dans ses lassos. Il n'y a qu'à Besançon que je l'ai connue, enjambée par des ponts où le vent nous poussait à presser le pas, bordée par des quais sombres, pas une douceur mais une barrière, une boucle à dénouer.

Sur la carte routière, le Doubs avait un tracé de serpent. En le longeant, je lui trouve des rondeurs de volutes. Le long de la route, le paysage est collines douces et troupeaux lents. Rien n'y fait obstacle, ni zone commerciale ni lotissement, aucun panneau publicitaire. L'impression est celle d'une virginité, d'un temps arrêté, d'un monde sans incantation à être autre chose qu'une émanation du lieu.

Après une dernière courbe, Clerval apparaît, niché de l'autre côté du Doubs. Rivière, pont, sapins, maisons serrées autour du blanc clocher, le village me fait l'effet d'une troupe d'acteurs plantés droits sur une scène, face aux spectateurs. La pièce va-t-elle commencer ou est-elle terminée ? Les Gens de l'enveloppe m'attendent-ils ou ont-ils déjà quitté le plateau ?

Je me gare place du Gravier, en contrebas du pont, comme me l'a conseillé Gérard B. Il m'y rejoint. Il est plus jeune que ce que j'imaginais (je ne saurais pourtant lui donner d'âge). Grand, mince, barbu, il a pris son appareil photo. J'attrape le mien. Je sens à sa poignée de main et à son demi-sourire percé d'une fossette que nous partageons la même curiosité timide. Nous allons bien nous entendre.

Il m'emmène au siège de l'association « Mémoire et patrimoine du pays clervalois », une petite maison à colombage où quatre personnes s'affairent. Ils m'offrent un café et des biscuits secs. Les membres de l'association sont des passionnés de l'histoire locale, ils sondent à l'occasion le sol avec des détecteurs à métaux, à la recherche de monnaie romaine ou de reliques archéologiques, ils font des enquêtes à leur façon. J'explique rapidement la mienne et je sors mes photos.

J'aurais dû compter les secondes, noter l'heure. Je ne sais pas pourquoi j'aime ce genre de détails inutiles mais j'aurais alors pu dire C'est à cette heure précise que j'ai su le véritable prénom de « Serge ».

Jean-Claude, le président de l'association, l'a reconnu le premier :

— Ah ben oui, lui c'est Michel M., il était cheminot comme moi, à Montbéliard. La maison est à lui.

Les autres confirment. Pour eux, cette information est anodine. Je tente d'être à la hauteur de leur détachement, de ne pas montrer mon émotion.

Michel.

« Serge » s'appelle donc Michel et non pas Gaby comme je l'avais cru d'abord. Depuis quelques jours, ce prénom, Michel, est apparu mais, c'est étrange, je n'y ai pas prêté attention, comme si je préférais que mon « Serge » soit disparu ou inaccessible, comme si je craignais de le remplacer par un homme de chair, d'os et d'autres histoires.

La maison est à lui.

Il n'est pas mort en marginal.

Il n'était pas ouvrier comme je l'ai imaginé, mais cheminot.

Il habite à Montbéliard.

Il est en vie.

La maison est à lui.

Il s'appelle Michel.

Mes photos passent de main en main. Une dame raconte qu'il se dit au village que Michel est un enfant illégitime. Ils me parlent de son grand-père surtout, Eugène, « l'aveugle ». On le voyait cueillir des fruits, il fauchait les haricots, fendait son bois et regardait la télé. Il tombait aussi, parfois, quand il trébuchait, malgré sa canne. Un homme se souvient avoir accompagné son père chez « l'aveugle » qui louait son alambic à qui voulait distiller. Il y avait « des quantités de bonbonnes d'alcool dans sa cave ».

Appliquée à ne rien perdre de ce qu'ils me disent, je note et j'acquiesce pour les encourager à fouiller encore leurs souvenirs mais je ne sais pas à quoi ressemble une bonbonne d'alcool, ni pourquoi l'on peut bien vouloir faucher des haricots. Mon café refroidi se fige dans la tasse.

En réalité je ne les écoute pas totalement, je pense à Michel M. dont je vais visiter la maison demain. Il va falloir que je lui téléphone. Je me demande comment lui présenter le projet pour qu'il accepte de me rencontrer.

« Simone » = Laurence la grand-mère.
« Raymond » = Eugène le grand-père.
« Mimi » = Germaine la fille-mère.
« Serge » = Michel le fils.
« Michelle » = ?
« Laurence » = ?

Je m'étais trompée. Je n'ai pas vu que sur les photos se côtoyaient non pas trois mais quatre générations. J'ai maintenant un début de généalogie. Des prénoms pour gommer les guillemets. Me manquent « Laurence » et sa mère « Michelle », deux paires de guillemets, dont je ne sais plus s'ils forment des boucliers qui protègent mes personnages ou des paravents qui me les cachent. Évidemment ce sont elles qui m'importent le plus. Personne ne m'en parle.

Gérard B. me propose de me conduire jusqu'à la maison.

— Vous êtes d'accord ? me demande-t-il en enfilant sa parka.

Bien sûr je suis d'accord.

Nous empruntons à pied la rue Basse, saignée étroite, humide et sombre où ne pourraient se croiser deux voitures. Les maisons sont serrées les unes contre les autres, il y a des petits rideaux usés aux fenêtres, escorte flétrie qui nous regarde passer.

À quelques dizaines de mètres, une ruelle descend sur la droite. Voilà la rue de la Traverse. Elle est sans issue.

Une impasse. Un bout du monde. Derrière un verger, scintille le ruban vert du Doubs.

La maison des Gens dans l'enveloppe est là, juste devant moi. Elle est petite, les volets sont fermés et dans le jardinet la rocaille a gagné.

Je me tiens dos à la porte d'entrée. Mon regard embrasse l'ancien potager, et derrière lui les toits du village, et derrière eux le clocher et sa bande blanche. Le cadre est identique à celui de la photo qui m'a permis de retrouver Clerval. Même le poteau électrique en béton est là. Je suis à l'endroit précis où se tenait celui ou celle qui a photographié « Laurence » et le grand-père. Bêtement, je cherche sur le sol un indice qu'il ou elle aurait laissé à mon intention.

De l'autre côté de la ruelle, se dresse une large maison. Une silhouette bouge derrière un rideau, c'est Daniel. Gérard lui a parlé de ma venue, il nous attendait, le café est prêt. Sa cuisine est claire, la maison est bien tenue, il y vit seul depuis que sa femme est morte il y a vingt ans. Il a quatre-vingts ans, les yeux ronds, le crâne buriné et une silhouette de beau vieil homme. Il ressemble incroyablement à Picasso.

Il s'assied à la table de la cuisine, je mets en route l'enregistreur. Daniel est le veuf de Denise M. Elle était la fille de Georges, le plus jeune des frères d'Eugène. Les deux familles ont vécu côte à côte pendant des années, fenêtres contre fenêtres, haines contre haines, à s'espionner sans se parler, à tout savoir les uns des autres sans s'aimer jamais.

En désignant sa tête il dit « ça tourne à cent à l'heure là-dedans ». Tout semble en effet être consigné « là-dedans », les noms des gens, leurs anciennes adresses, le nom des artisans qu'ils ont fait travailler.

À l'entendre, son beau-père, Georges, était une brute épaisse qui frappait femme et enfants, passait son temps à boire et volait tout, jusqu'aux fleurs des tombes du cimetière.

— Après la guerre, il ramenait des fusils de chasse de Lyon et les vendait ici, ça défilait dans la baraque, tout le monde venait lui acheter.

— Mais quand même, tente Gérard, pendant la guerre il était résistant, il a même sauté sur une mine, c'est pour ça qu'on l'appelait « cul-en-or »…

— Résistant mon œil, balaye le vieil intransigeant. Il était dans le maquis du Lomont en août 1944, il faisait surtout la bringue. Lui (et il chuchote), lui c'était un alcoolique complet !

Il dit en nous fixant – et l'on ne sait plus très bien de qui il parle :

— Les autres étaient gentils, sauf lui, qui était vraiment méchant. C'était un fou quand il vous regardait.

Sur mes photographies, il reconnaît tout le monde. Sa mémoire est à la fois précise et acérée. Je vérifie les prénoms. La vieille dame aux lunettes fumées s'appelle bien Laurence. Sa fille (et non sa sœur) est Germaine. C'est elle qui faisait de la course à pied. Après avoir « eu le gamin avec le B. qui n'en a pas voulu », elle est partie vivre à Lyon, laissant le petit à ses parents, ici. Elle a travaillé aux Câbles de Lyon et s'est de suite syndiquée.

— L'année de sa retraite, ils l'ont vite mise à l'arrêt parce qu'elle occasionnait tout le temps des grèves, c'était une révolutionnaire.

À Lyon, Germaine a épousé un type qui travaillait aux abattoirs de la ville. Daniel l'appelle « Le Georges P. ». En Franche-Comté, c'est comme ça : on colle un article défini devant tout nom propre. J'avais horreur de cela lorsque je vivais ici, désormais ça m'arracherait presque un sourire de petite nostalgie. « Le » Georges P. est ce grand homme au regard perdu (Daniel dit « Il avait un œil qui ramassait la monnaie pis l'autre qui jouait aux quilles ») et à l'air tendre qui pose avec la petite « Laurence » devant le clocher. Celui que j'appelais « Raymond » n'est pas le mari de « mamie Poulet » mais son gendre – je ne sais pas qui est Eugène.

Georges et Germaine vivaient à Lyon, à côté du stade de Gerland et venaient en vacances à Clerval chaque été. Bien que porté sur la boisson, Georges était un brave homme. Il promenait son petit chien chaque matin et adorait aller cueillir des mûres, « là-haut derrière la pharmacie ».

Je lui présente une photo parmi les plus anciennes de l'enveloppe. On y reconnaît Germaine et sa mère, assises sur un muret. C'est l'été, elles portent des robes légères. Entre elles, se tient un homme, cheveux blancs, bretelles et chemise à carreaux. Ses mains sont posées sur le muret, on ne voit pas son regard, ses yeux sont fermés. Je comprends avant que Daniel ne le dise qu'il s'agit d'Eugène et dans sa bouche cela fait « l'Ugène » :

— Ah ben voilà l'Ugène et la Laurence et la Germaine.

C'est étrange, je n'avais jamais fait attention à lui, c'est comme si je le voyais pour la première fois. Il apparaît sur très peu de photos – mais toujours en chemise à carreaux. Sur l'une d'elles, il pose la main sur l'épaule droite de sa femme. Daniel dit que c'est ainsi qu'il se guidait la plupart du temps, une main sur l'épaule, pas de canne blanche mais un chien qui l'accompagnait partout. Si j'avais mieux observé les images, je l'aurais repéré, on voit qu'il tient une canne en bois brun.

— L'Ugène est devenu aveugle parce qu'il allait avec les femmes à Lyon. Il a chopé une maladie vénérienne qui lui a tombé sur la vue, c'est à cause de ça qu'ils sont venus vivre ici. Il n'y voyait plus rien du tout mais ça ne l'empêchait pas de vivre normalement. Il roulait ses cigarettes d'une main sur sa cuisse, comme ça, il fauchait, il fendait son bois et ramassait ses pruneaux. Il aimait pêcher, il avait une barque, il l'attachait à un arbre et se laissait aller au fil du Doubs, une clochette accrochée à sa canne à pêche.

Un homme normal à Clerval : rouleur de cigarettes, fendeur de bois, pêcheur, faucheur. Buveur aussi.

— Il faisait la goutte, dans une cabane qu'il avait un peu plus loin. Il faut voir ce qu'il buvait lui aussi, il faisait pas la grimace, de toute façon ils avaient tous l'alcool dans le sang.

Il montre avec sa main :

— À chaque repas, un gros verre d'eau-de-vie comme ça et après le café encore un.

Une voiture passe au ralenti dans la rue, Daniel se lève et écarte son rideau. Puis Sentinelle se rassoit.

Il croit savoir que les M. ont trouvé des trésors. Au moins trois : dans la maison de l'ancêtre autrichien à Voillans, puis ici même rue de la Traverse, « deux marmites pleines de pièces d'or » qu'Eugène et Michel ont déterrées un jour, et enfin dans le four à pain de la boulangerie que Marcel, un autre frère d'Eugène, avait reprise.

Dans mon esprit se jouent des saynètes, un aveugle pêche à la clochette, le boulanger trouve de l'or au fond de son four, Germaine fomente des révolutions.

J'attends patiemment que nous arrivions à la première photo de « Laurence ». Je n'attends que ça, en vérité, qu'il me donne sa véritable identité. Je veux savoir si elle s'appelle Sandrine, ou Stéphanie, comme je l'avais imaginé d'abord.

Mais il n'en a pas fini avec les autres.

C'est au tour de la grand-mère de passer sous sa langue acide.

— Un vrai adjudant, c'est elle qui portait la culotte, je peux vous dire. Mais surtout elle était radine à un point, j'ai jamais vu un râteau pareil. Elle n'allait en commissions que pour acheter du pain. Pour le reste, ils se débrouillaient avec ce qui poussait dans le jardin. Elle faisait de la soupe dès le petit déjeuner, même pas un café ! Et des confitures de groseilles sans sucre, amères, immangeables. Même pour le cimetière, elle n'achetait jamais de fleurs, elle mettait des fleurs des champs sur les tombes. Le soir je les voyais souper, vous allez dire que je suis mauvais mais c'est vrai : ils mangeaient tous les deux dans le même bol avec un seul couteau pour économiser l'eau de la vaisselle. (J'éclate de rire, tout cela est improbable.) Laurence, elle était extraordinaire tellement elle était radine.

Laurence mange dans le même bol qu'Eugène, Germaine fomente des révolutions, il y a de l'or dans le four du boulanger et la clochette tinte au bout de la canne à pêche d'Eugène.

Eugène, Eugène, Eugène, je note ce prénom dans la marge, j'en noircis les boucles, je laisse Tête-de-Picasso écluser ses ressentiments. J'attends juste qu'il me parle de « Laurence ». Après je partirai, j'en ai assez entendu.

La voilà dans son pull rayé. Je reprends la main :

— Et la petite ? Vous vous souvenez de son prénom ?

Il me regarde soudain, comme surpris de ma présence. Il hésite quelques secondes, c'est la première fois, on dirait qu'il le fait exprès. Et s'il se souvenait de tout sauf de ça ?

Interminable silence. Et puis, en se frottant les yeux :

— C'est Laurence son prénom, ça me revient. La petite, elle a le même prénom que la grand-mère. Laurence.

— Laurence ? Le même prénom ?

— Oui oui, le même prénom. Laurence.

« Laurence » s'appelle Laurence.

Laurence déshabillée de ses guillemets mais Laurence quand même, Laurence deux fois, Laurence ici et là,

Laurence des deux côtés, Laurence à égalité dans la fiction et l'enquête, vraiment Laurence.

Personne ne te croira, me dira Alex à qui je le raconterai au téléphone tout à l'heure, avant de reprendre la voiture.

— Personne ne te croira, même pas eux.

Et nous rirons, de cette manière de rire que nous avons lui et moi et qui doit nous rester d'un peu d'enfance.

***

En remontant dans les ruelles jusqu'à la quincaillerie où il veut me présenter à des habitantes, j'explique à Gérard que l'héroïne de mon roman s'appelle « Laurence » et que je suis troublée que cela ait été son vrai prénom. Il me sourit poliment. Je le sens décontenancé par ma recherche ; il ne voit pas bien l'intérêt de chercher des gens qui vivent encore et s'appellent banalement Michel ou Laurence. Nous sommes pourtant pareils, lui qui s'émeut d'un pot sauvé de la terre du XVIIe siècle, et moi qui tremble en regardant des Polaroid.

C'est ce que je ressens, pas ce qu'il me dit.

Ce qu'il me dit :

— Celle qui tient la quincaillerie est d'une vieille famille de Clerval, elle connaît tout le monde, je pense qu'elle pourra vous aider.

Le magasin est dans la rue principale.

Nous poussons la porte.

Je ne sais pas ce qui vient en premier, le souvenir des gens, de la peau des gens surtout, lavée à l'eau trop douce, et cet air de parchemin lisse que ça nous donne à tous, ou l'odeur. Ce doit être cela, en premier, l'odeur. Une odeur de métal, vis, écrous, outils, une odeur de peinture, une odeur de détergent aussi et de nourriture pour animaux, d'appâts pour la pêche, de vestes de chasse, de bottes en plastique dur – et elles coupent le haut des mollets –, de graines à semer et de marmites à confiture. La quincaillerie de Clerval pourrait être celle du village où j'ai grandi, tout y semble pareil, imbougé. Les parents nous y envoyaient de temps en temps, ma sœur et moi, il fallait traverser tout le village à pied et marcher un peu le long de la grande route, il faisait chaud en été et nous tanguions sur l'arête du trottoir – si tu ne poses pas un pied sur la chaussée, personne ne meurt –, les routiers klaxonnaient nos jupettes, elle leur faisait des doigts d'honneur, on riait et on arrivait enfin à la quincaillerie pour acheter quoi ?, une boîte de clous, une ampoule, une prise anti-moustiques, un tube de colle forte, un moment à nous deux aussi, à se bousculer dans les allées minuscules du magasin où il nous semblait pouvoir tout trouver, tout.

Nous traversons les rayonnages rapidement, il y a beaucoup de vaisselle et des casseroles de toutes formes. Gérard sait où se trouve la patronne. Elle prend le thé dans l'arrière-boutique avec sa mère et l'ancienne secrétaire de mairie. Elles nous invitent à nous asseoir avec elles, dans ce petit bocal vitré, où s'entassent autour de l'ordinateur les archives de comptabilité du magasin et tout un fatras de papier. Je remarque un cor de chasse suspendu au plafond. Elles me font penser au chœur d'une tragédie. On dirait qu'elles m'attendent depuis cinquante ans.

Elles connaissent bien la famille M. mais ne m'apprennent rien de décisif. Si : Michel, le père de Laurence (et je retiens mes doigts pour ne pas l'entourer de guillemets, c'est fini, le temps des guillemets), a été marié deux fois. Son deuxième mariage a été célébré à Clerval il y a une dizaine d'années.

Je leur demande si Laurence, la grand-mère, était radine. La commerçante m'assure que non.

— Elle était économe mais pas spécialement radine. C'était une femme bien, vive. Et petite.

Bien, vive et petite.

C'est comme si elles nettoyaient « mamie Poulet » des méchancetés soufflées par Tête-de-Picasso il y a moins d'une heure. Pour le reste, elles me répètent ce que je sais déjà. Michel est un enfant illégitime, Eugène était aveugle et sa femme s'en occupait. À quoi se résument les vies.

Puis elles me parlent de Jeanne.

Jeanne était la fille du boulanger de Clerval. Marcel, un des frères d'Eugène, l'avait épousée et avait repris la boulangerie. Jeanne était donc la belle-sœur de « mamie Poulet ». Jeanne et Marcel ont eu deux fils.

Une nuit, Jeanne s'est jetée dans la rivière.

— On n'a jamais su pourquoi, disent d'une seule voix les petites dames de la quincaillerie.

Elle était malade, elle avait du mal à marcher et ne pouvait plus se laver, expliquent-elles.

Je me demande quelle maladie empêche de se laver. Quelqu'un dit que Jeanne sentait mauvais, que son odeur incommodait les clients de la boulangerie. On se souvient aussi qu'elle aimait rire et provoquer un peu, surtout des discussions politiques.

Et vient cette phrase sidérante :

— C'était une femme qu'était gaie, pas du tout dépressive, elle s'est jetée au Doubs.

Une femme sort de chez elle en pleine nuit. Tout le monde la connaît ici. Au village on dit qu'elle est gaie, cette manière de rire de tout, et trop fort, qu'elle a. Elle est la femme du boulanger et avant cela elle était la fille du boulanger. Elle est le pain de tous les jours, la mie chaude, le bruit du croustillant, le quignon qu'on trempe dans la soupe et le couteau qu'on y essuie avant de le ranger dans la poche. Cette femme, plus que d'autres, est Clerval qu'elle traverse lentement cette nuit. Les ruelles du village sont désertes mais bordées de maisons collées les unes aux autres, si serrées que l'on ne se sent jamais seul. On entend les enfants du voisin pleurer et les chats se battre dans les venelles, on sait tout sur tout le monde. Tous la connaissent, quelques-uns l'entendent, d'autres la voient passer mais personne n'ouvre sa fenêtre pour demander à cette femme ce qu'elle fait, où elle va à cette heure tardive, si elle a besoin d'aide. Elle passe peut-être devant chez son beau-frère et sa belle-sœur, au bout de la rue de la Traverse ; Eugène et Laurence sont là, derrière les maigres murs, ils sont toujours là, lui entendrait un moustique chasser au bout du Doubs, elle est à l'affût de tout ; elle passe alors aussi nécessairement devant chez Daniel, l'homme qui écarte le rideau vingt fois par jour pour surveiller la rue, l'homme qui croit savoir que dans le four de sa boulangerie, on a trouvé de l'or, une pleine marmite. Ils la connaissent tous, elle marche avec difficulté, elle s'arrête souvent, elle respire fort, elle pleure peut-être et personne pour lui demander par la fenêtre, à elle d'ordinaire si gaie, l'origine de cette ombre qui prend tout son visage cette nuit.

Il lui faut du temps pour arriver jusqu'au bord de la rivière. Lorsqu'elle était enfant, elle y allait en trois sauts de cabri, désormais elle a toute une masse à déplacer, toute une respiration écorchée à endurer. L'effort ne lui fait pas changer d'avis. Chaque pas arraché renforce au contraire sa détermination. Penser au mari, aux enfants, ne l'arrête pas. Elle avance. Elle sait que contre l'eau, son corps ne pourra rien. Le Doubs la rendra plus tard, délivrée de la souffrance, enfin lavée de tout.

Des années plus tard, on parlera toujours d'elle, cette femme, si gaie, l'inoubliée qui s'est jetée dans le Doubs. Pour l'éternité, Jeanne restera la noyée gaie, c'est une question de maintien de l'ordre. Pas d'autre place pour elle. On ne dit pas le désespoir de sa marche, le nommer est impossible (un mauvais mage sortirait de la boîte, un nuage sombre les recouvrirait tous et l'on s'apercevrait que l'odeur de pourriture qu'elle dégageait était celle du corps immobile de tout un village figé dans le rien ne bouge).

Que pouvait-elle faire d'autre que rire trop fort et les provoquer de temps en temps, pour agiter l'air vicié ? Elle pouvait juste s'accrocher à l'idée de la rivière si proche, si brune, si douce, si paix à ton âme Jeanne.

Jeanne est une Michelle qui n'aura pas coupé les virages. Elle est une Simone qui se laisse engloutir.

Je l'aime mais ça ne sert à rien.

— C'était une femme qu'était gaie, pas du tout dépressive, elle s'est jetée au Doubs, chantera longtemps le petit chœur grisonnant de la quincaillerie.

Quand on naît ici, on grandit ici, on meurt ici.

Demain je vais visiter la maison où ont vécu la vieille dame aux lunettes fumées, son mari l'aveugle, leur fille la coureuse, leur petit-fils Michel et la petite Laurence sans guillemets et au pull rayé.

Laurence.

Laurence ma « Laurence ».

— C'est le signe que cette histoire était pour toi, m'écrit Nicolas.

26 septembre 2014

« À la fois simple et compliqué »

Toutes les tables du Café de la Paix sont occupées par des salariés en pause déjeuner. Le soleil chauffe mon dos, le lapin chasseur qu'on nous sert a mijoté longtemps. J'ai l'impression que tout est plus lumineux que la veille, moins gris les murs et les visages.

La conversation est chaleureuse. Gérard et Jean-Claude sont intarissables sur l'histoire de Clerval. J'emplis mon cahier de mille choses, c'est comme dessiner le décor dans lequel ont vécu mes héros.

Lorsque la famille d'Eugène s'y installe, au tout début du XXe siècle, Clerval ne ressemble pas à ce bourg défraîchi que j'ai découvert hier. Depuis qu'en 1820, des hauts-fourneaux ont été édifiés, depuis surtout que le chemin de fer est arrivé, au milieu du XIXe siècle, la commune est en plein essor économique. C'est l'ère d'un progrès dont on pense qu'il sera infini. On produit en série toutes sortes d'objets en fonte : plaques d'égout, moules à gaufres, fourneaux de cuisine, obus…

La terre de Clerval est à la fois rurale et ouvrière. Depuis toujours c'est comme ça. À la débauche, la plupart des ouvriers regagnent leur petit lopin et leur troupeau. La terre nourrit, les machines produisent, les hommes travaillent.

Lorsqu'ils fouillent les champs et forêts autour de Clerval, il n'est pas rare que les membres de l'association « Mémoire et patrimoine du pays clervalois » tombent sur des dés à coudre perdus il y a un siècle par les petites bergères que l'on envoyait garder les troupeaux avec leurs travaux de couture.

Clerval est réputé pour ses tanneries, ses cordonneries et son énorme foire. Le commerce marche bien. Les cafés sont nombreux le long de la rue principale. On y joue aux quilles, on y boit, on y discute et on y danse. Le 14 juillet et le 13 septembre, date de la fête patronale, tout le monde se presse au « bal du Zi », sur la place du Gravier. Le Zi (il s'appelle Félix en réalité) se met derrière la grosse caisse et sa femme – la « femme Zi » – à l'accordéon. J'essaye d'imaginer Victor et Marie, les parents d'Eugène. Quelles danses s'accordaient-ils ? Étaient-ils joyeux alors, ou avaient-ils cet air sévère que Victor arbore sur une photo de 1930 que m'a montrée Gérard ? Serrait-il fort la taille de sa femme ? Enfouissait-elle son visage dans son cou ?

Est-ce parce que nous parlions du bal ? La conversation glisse aux années 1960 sans s'arrêter aux guerres.

Comme si Clerval avait poursuivi sa vie, comme le Doubs suit son cours, les pieds dans la terre, les mains sur la machine, les noms des garçons perdus gravés sur le monument aux morts.

Chaque soir, vers 18 h 30, les gamins du baby boom – et parmi eux Michel peut-être – se retrouvent « au lait ». Ils ramènent à leur mère le bidon plein, en le tournant par-dessus l'épaule. Au moment des récoltes, ils s'embauchent chez les paysans, contre cinq francs la semaine. Ils font le foin, ramassent les pommes ou cueillent les cerises dont on fait le kirsch. Plus tard, la plupart d'entre eux entreront, comme leurs parents avant eux, à l'usine, chez Peugeot (ici on dit « la Peuge »). La chaîne est un lieu naturel de travail, comme le champ et l'étable. Un train spécial est affrété matin et soir. Sans originalité on l'appelle « le train Peugeot ».

Lorsqu'en 1976 s'ouvre le chantier de l'autoroute, Clerval vit un autre âge d'or. C'est l'époque où commence mon roman. Les gens ont du travail, les filles se marient avec les ouvriers du chantier autoroutier, les familles ont un peu d'argent puisque s'est transmis, avec les héritages, le sens paysan de l'économie.

J'imagine des années jupes courtes, légèreté et belles voitures. Je me demande si Michel-« Serge » savait en profiter.

Peut-on dater le jour où la poussière est venue jusqu'à tout griser ? Comme la vieillesse vous tombe dessus un jour sans prévenir, tout a changé à Clerval. Le village qu'ils me racontent ressemble à un homme déclinant. Jadis vigoureux, il sent ses forces l'abandonner, il doute de lui, la tristesse le prend d'un coup.

Aujourd'hui est un combat perdu d'avance. Les magasins ferment sans trouver de repreneurs. Les gens vont au supermarché à quelques kilomètres. Les sous-traitants automobiles se sont multipliés, employeurs fragiles pour salariés précaires. Le kirsch vient de Pologne. De grosses entreprises se sont bien installées sur le territoire, avec leurs capitaux mondialisés – une fromagerie, qui collecte le lait 50 kilomètres à la ronde, et une usine de plasturgie. Au total près de 1 000 personnes travaillent à Clerval mais toutes ne trouvent pas à s'y loger puisqu'on n'a pas investi dans le logement. La mondialisation inquiète, dont on ne sait pas très bien si elle niche dans les capitaux étrangers et impalpables des actionnaires trop lointains, ou chez les quelques familles turques qui se sont installées ou encore dans ces prénoms, bizarres aux oreilles des anciens, apparus dans les faire-part de naissance, ces Lilas, Lilou ou Rosie-Lola. Certains finissent par se sentir perdus chez eux. Aux élections européennes de mai 2014, la liste du Front national est arrivée en tête, avec presque 40 % des voix. Dans l'air flotte l'idée de l'effritement, un sable invisible qui enraye tout.

***

Gérard m'a demandé s'il pouvait venir visiter la maison M. avec moi : les sous-sols l'intéressent, il espère y trouver des vestiges de l'ancienne faïencerie qui se tenait là avant le grand incendie de 1615.

Nous nous présentons ensemble au lieu de rendez-vous, devant la Poste, à 14 h 30. La dame de l'étude notariale est à l'heure. C'est une femme énergique, blonde, vive. Elle dit d'entrée, en lisant une feuille :

— D'après ce qu'il est marqué là-dessus, le propriétaire doit nous attendre à la maison.

Je blêmis.

Michel.

Je n'ai pas prévu cette possibilité. Je ne suis pas prête à le rencontrer. Je pensais lui téléphoner ce soir. Que vais-je lui dire ? Tout cela va trop vite.

Elle regarde à nouveau sa feuille.

— Ah et peut-être que la fille sera là aussi, apparemment elle se fait du souci.

Laurence.

Laurence et Michel.

Je rêve de les retrouver depuis plus d'un an et j'ai peur de les voir soudain.

J'ai envie de dire que c'est une erreur, que je ne veux pas visiter finalement mais je ne peux reculer. Je la suis. Nous nous enfonçons dans la rue Basse. Elle me semble plus étroite qu'hier, un boyau humide que le soleil d'automne ne réchauffe pas. La notaire se tourne vers moi :

— Il y a quelques travaux à prévoir mais c'est peut-être la situation, près du Doubs, qui vous intéresse.

— Oui c'est ça.

Tout peut s'arrêter dans quelques minutes s'ils me chassent. Je raconterai l'histoire d'un refus.

Parfois lorsque je marche, j'ai l'impression de ne pas marcher, plutôt flotter un peu à côté de moi, je ne sais pas tellement l'expliquer.

Nous nous engageons dans la petite rue de la Traverse. La maison est à vingt mètres, les volets sont ouverts. J'aperçois un homme devant le petit jardin. C'est lui, c'est « Serge ». Il a le même air fragile, gentil et fatigué que sur les photos. Maigre, un peu oblique. Il est seul. On a dû lui dire qu'une Parisienne venait. Il a passé le balai, il l'a encore en main.

Nous nous saluons et il nous invite à commencer la visite. Laurence n'est pas là. La dame me montre le cadastre, je fais semblant de m'y intéresser. Après une terrasse couverte, nous entrons dans une cuisine. Un matelas est plié dans un coin. Le rez-de-chaussée est constitué de deux petites pièces. Elles donnent sur un jardin en friche qui descend doucement jusqu'au Doubs.

— Mais ce jardin n'est pas à moi, précise Michel.

Il faut que je lui dise.

La maison est modeste. Le sol en béton est récent. Les murs ont été repeints en couleur, bleu, vert. L'ensemble est propre mais en désordre. Il y a des cartons, des valises et des caisses en plastique, les armoires sont ouvertes et presque vides, une télévision est posée par terre, j'aperçois des jeux, des draps, on ne sait pas s'il s'agit de choses qu'on a laissées ici ou d'un déménagement qui est prêt à partir. Quelqu'un parle du chauffage, Michel explique qu'il n'y a qu'un convecteur électrique dans la cuisine mais que pour les vacances, ça suffit.

— Ou alors vous installez un poêle à bois, ça marche bien ces machins-là.

Il dit à Gérard qu'il est né dans cette maison, le 7 décembre 1945.

Il y a un escalier, je le monte – petit escalier donne-moi la solution –, je voudrais qu'il ne reste que lui, moi et les photos, que cesse cette mauvaise comédie de la Parisienne en visite immobilière.

Il faut que je lui dise.

Ils m'ont rejointe en haut.

Je m'entends demander, ma voix trop pointue :

— Mais il n'y a pas de salle de bains ?

Michel se met à parler vite, il avale les syllabes.

— Non pas de salle de bains, mais pour une maison de vacances… D'ailleurs, les toilettes sont dehors. Et pour la chasse d'eau, c'est le seau.

Puis il baisse la tête. Il faudrait tellement qu'il vende cette maison.

Et moi, que je lui dise.

Gérard a trouvé un cadre avec une vieille photo d'école en noir et blanc. Ils s'approchent de la fenêtre pour mieux la regarder. Michel se reconnaît, devant, au milieu de la classe.

La notaire est en bas, je crois.

C'est le moment.

— Monsieur, en fait, j'aimerais vous parler. Je ne suis pas venue pour la maison mais pour vous.

Je m'avance, il recule. Ses yeux bleu Baltique.

— Je vous cherchais car j'ai quelque chose à vous montrer. J'ai acheté des photos et je pense qu'elles sont de votre famille.

Ses yeux bleu enfant perdu.

— Mais alors vous n'achèterez pas ?

— Non, je suis désolée, je préfère vous le dire tout de suite, je ne savais pas que vous seriez là, le notaire ne m'avait pas prévenue, je ne connaissais même pas votre nom avant-hier, j'avais prévu de vous appeler ce soir après la visite.

Il a un geste de petite colère, ou de dépit, son pied qu'il balance dans le vide.

Comme dans une pièce de boulevard, la notaire surgit dans la chambre :

— Si je comprends bien, je peux partir !

Elle en aura une bonne à raconter à ses collègues de l'étude, elle dit qu'elle veut connaître la suite, me tend sa carte, nous salue gentiment et repart.

J'explique à Michel que je souhaite écrire un livre, enfin deux livres, l'histoire inventée et l'histoire recueillie.

Dans mon cahier je note qu'il répète quatre fois :

— Ah ben si je m'attendais à celle-là.

***

Michel propose que nous nous installions en bas, à la table de la cuisine. J'ose enfin le regarder. Les cheveux lissés en arrière descendent sur sa nuque, il porte un jean clair et une chemise un peu trop grande pour lui. Il est maigre, ses joues sont creusées, mais son regard est inchangé.

Il pourrait être mon père.

Je n'ai plus peur.

Par la fenêtre je vois les arbres que « mamie Poulet » voyait, un pommier plein de fruits, des buissons. La lumière est jolie. J'aimerais capturer l'instant, l'emprisonner dans un cadre, attraper la douceur et l'importance de ce moment qui ne se reproduira plus. Cela s'appellerait une photographie. La prendre, je n'ose pas.

Je commence à lui montrer les photos – j'allais écrire mes photos, mais je ne sais déjà plus à qui elles sont, toujours à moi ou de nouveau à eux ?

La première est celle de sa grand-mère. Il en décline les date et lieu de naissance, comme on le ferait à un guichet administratif. Je demande s'il sait comment ses grands-parents s'étaient rencontrés.

— Non, on ne parlait pas tellement de famille dans ces temps-là.

Après lui avoir indiqué comment suspendre l'enregistrement dès qu'il le souhaite, j'enclenche le dictaphone.

— Si vous voulez parler de ma jeunesse…

— Oui j'aimerais bien.

— Eh bien vous n'avez pas fini parce que c'est à la fois simple et compliqué. Ma mère n'a pas pu me garder et c'est mes grands-parents qui m'ont élevé ici à Clerval.

— Dès que vous étiez bébé, elle vous a laissé ?

— Oui (un silence, on entend au loin le moteur entêtant d'une débroussailleuse). Je suis né ici, (silence), dans la chambre-là (d'un geste de tête, il indique la pièce derrière nos chaises).

— Dans la chambre bleue.

— Elle n'était pas bleue dans ce temps-là.

— Elle a accouché là ?

— Oui oui, ici, à la maison. Je sais pas qui il y avait pour aider, moi j'y étais pas, enfin si : j'y étais, mais tout neuf, j'ai pas vu grand-chose (il rit un peu).

L'enfant naît dans la grange, sa grand-mère offre les premières mains.

— Et donc elle vous a laissé ici.
— Oui elle m'a laissé ici. Mais elle ne s'est pas sauvée, hein. C'était prévu avec mes grands-parents parce que c'était juste après la guerre, elle n'avait pas de travail. Elle n'avait pas non plus de… J'ai pas de papa. Enfin je dois bien en avoir un quand même, je sais qui c'est, ça je sais pas si je vais vous le dire.
— C'était mal vu à l'époque.
— Oh oui ça certainement, c'était mal vu, on a même parlé des Allemands. Mais c'était pas un Allemand, je sais qui c'est, il est décédé aussi.
— Mais vous l'avez connu ?
— Oh je l'ai connu mais il ne savait pas que je savais. Je le croisais à Clerval, on se disait bonjour, je savais qu'il était mon père mais jamais je lui ai dit. Je l'ai su quand j'avais dix douze ans à peu près mais jamais je lui ai dit.
— C'est votre maman qui vous l'a dit ?
— Non c'est mes grands-parents.
— Vous demandiez, vous posiez la question ?
— Oh ben oui, je posais la question un peu tout le temps, un peu partout et puis finalement ils me l'ont dit. Ça a été dur à leur arracher. Ben il l'a bien payé parce que…

J'écris des points de suspension à défaut de savoir dessiner l'émotion, fossile liquide de chagrins anciens, qui noie la fin de sa phrase. Il est l'enfant abandonné. Une fois par son père, une fois par sa mère, combien de fois par la vie ? Cela fait moins de trois minutes que nous nous parlons. Nous arrêtons un temps l'enregistrement.

Il a soixante-neuf ans, cet âge où les hommes deviennent vulnérables, leurs forces s'en vont, ils ont peur de tomber de l'échelle, de ne plus pouvoir se défendre si on les attaque, de perdre la vue, les dents, la vie. Il a l'âge émouvant où l'on se fait une raison. Et puisque je le lui demande, il n'a aucune raison de ne pas me raconter sa vie. À côté de nous, à moins que ce ne soit grimpé sur ses épaules, s'est installé le petit garçon qu'il était. Nous reprenons.

Autour de la table s'assoient les années ; sur leurs genoux, bien droits se tiennent les souvenirs.

Nous parlons pendant près de deux heures. Les chiens et les voitures lui permettent de dater les photos. Cora – « une gueularde mais gentille comme tout » – vient avant Titou, la Peugeot 403 blanche avant la noire. De temps en temps, lorsqu'il souhaite que quelque chose reste entre nous, Michel arrête le dictaphone puis il le réenclenche. Plusieurs fois, il est ému aux larmes.

Il déroule sa vie de manière ordonnée. La conversation est calme et nostalgique. C'est comme un territoire que l'on cartographierait depuis un promontoire. Tout semble logique, tenu par un même fil, une cause et ses conséquences, une source et sa petite cascade d'événements – l'abandon, c'est bien cela que me soufflaient ces photos lorsque je les ai achetées.

On pourrait dire que se raconte une vie, ordinaire et extraordinaire comme toutes les vies.

Au commencement, il y a donc Eugène, le grand-père aveugle. Michel dit, et on sent que ce n'est pas la première fois qu'il use du jeu de mots :

— Il est né voyant à Voillans.

Un peu avant la Seconde Guerre mondiale (il avait alors une quarantaine d'années), il est tombé malade.

— C'était nerveux. Comme on dit : il avait trempé son biscuit dans le mauvais bol.

La maladie vénérienne a provoqué la cécité complète et toute la vie d'Eugène et Laurence s'en est trouvée chamboulée. Avant ça, ils vivaient à Lyon. Elle était concierge. Il était mécanicien, il construisait des poids lourds chez Berliet, de ces gros camions qu'on voit dans le film *100 000 dollars au soleil*, avec Lino Ventura et Jean-Paul Belmondo – et Michel dit qu'il aime bien le cinéma, enfin qu'*avant* il aimait bien, maintenant c'est terminé, c'est comme la musique, les chansons, tout ça, terminé, il n'écoute plus rien, même plus Joe Dassin ou Johnny Hallyday qu'il aimait bien, *avant*.

On dirait que ce mot, *avant*, a été créé pour lui, un petit mot pour ne pas se jeter dans le vide, un mot qui dit Viens, prenons l'escalier pour descendre dans le passé, sinon nous risquerions de tomber la tête la première dans la pente.

Avant occupe toute la place, *avant* est sur les fleurs de la nappe en toile cirée, *avant* recouvre le vieux fauteuil d'une couverture élimée et étire sur les photos l'ombre de la haute silhouette de Georges P., le seul homme que Germaine a épousé. C'est lui que j'ai à tort pris pour le mari de « mamie Poulet », lui que j'appelais « Raymond ».

— Il était de quinze ans l'aîné de ma mère. C'était un homme très gentil mais fallait pas lui demander combien font 2+3.

La gentillesse, ça aurait suffi à Michel qui savait compter. Georges aurait pu lui faire une épaule à laquelle se mesurer, un abri où s'inventer des demain-t'appartient, un père.

Lorsqu'il avait douze ou treize ans, il ne se souvient plus très bien, Michel a cru qu'*avant* allait enfin se terminer, qu'il allait pouvoir passer à *après* : Georges proposa de le reconnaître et de l'emmener vivre avec eux à Lyon. Mais les grands-parents refusèrent, ils avaient besoin de lui à la maison. Il était costaud et bientôt un jeune homme. Il pourrait faire ce qu'Eugène l'aveugle ne pouvait plus accomplir.

C'est ainsi que se rejoue le premier abandon. La scène est déchirante. Michel accompagne ses parents jusqu'au pont, la gare n'est qu'à quelques centaines de mètres, et Lyon au bout de la voie ferrée. La grand-mère le retient de traverser la rivière.

Il dit, en bégayant un peu :

— Au bout du pont, tout le monde chialait.

Ce jour-là, quelque chose se casse définitivement, qui doit s'appeler Confiance. Sa mère cède à sa propre mère, elle ne l'emmène pas. Un pont les sépare à jamais. Le traverser ne les rapprochera plus. Avec ses grands-parents, lui l'infirme, elle la revêche, le gamin rentre à la maison et dans l'adolescence. Il est grièvement blessé mais personne ne le voit.

Michel grandit solitaire, taciturne. Il ne sort pas danser, ne joue pas au football, il a peu d'amis, il passe son temps libre à pêcher et à se promener dans la nature avec les chiens. Ils sont ses premiers compagnons – et les meilleurs. Ils s'appellent Cora, qui le gardait dans le verger alors qu'il ne savait pas encore marcher (« Elle me défendait contre les moutons »), puis Loulou et Titou. Il connaît les arbres et les sentiers, le bois et les pierres. Et la rivière, qu'il caresse de sa barque dès qu'il le peut.

J'aimerais vivre dans les bois, être la protégée des arbres et des rochers, avoir plusieurs terriers sous la mousse où dormir, si les rivières débordent je grimperai jusqu'aux cimes, je voudrais ne plus avoir besoin qu'elle revienne pour savoir où elle est.

Laurence, sa « mémé », dirige la maisonnée. Il la décrit comme une femme craintive, trouillarde même, toujours à se faire du souci. Elle sourit rarement. Elle ne pardonnera jamais ses infidélités à Eugène le jouisseur, devenu petit homme sans yeux – comme puni des dieux.

À son petit-fils, l'aveugle apprend la vie à sa façon. Il va au verger, s'occupe des moutons, vide seul l'écurie, ramasse les fruits, fauche le champ sans incident, boit « son petit canon le dimanche » et continue, probablement, de séduire les femmes.

Michel sourit, peut-être d'une petite revanche :

— Au village, j'en vois quelques-uns qui me ressemblent.

Avec son grand-père, Michel va à la pêche, leur barque est accrochée un peu plus bas le long du Doubs.

— Une fois je l'ai sauvé de la noyade. J'avais une dizaine d'années. Il voulait faire comme s'il voyait clair, il s'est levé, il a basculé en arrière et est tombé. Je l'ai aidé à s'accrocher à la barque et j'ai ramé jusqu'à la rive. Sans moi, il ne s'en sortait pas.

Le Doubs a été un ami pour Michel. Il a possédé cinq ou six barques, elles étaient sa liberté, son foutez-moi-la-paix, elles étaient son endroit de coïncidence, son chez-lui. Mais lorsqu'on lui a volé la dernière, il ne l'a pas remplacée.

Il ne pêche plus, de toute façon :

— Il faut un permis et moi, ça ne m'intéresse pas, les choses pour lesquelles on doit demander un permis.

On veut croire que les blessures dues au manque de mère se soigneront à la peau douce d'une femme. Michel est beau garçon, il séduit sans le chercher. À dix-sept ans, il rencontre une jeune femme, aussi gaie que jolie.

Elle s'appelle Suzanne.

Voilà le dernier prénom. Celui qui me manquait. Suzanne, la grande absente des photos, ma « Michelle » qui fait s'embuer, quarante ans plus tard, les yeux de Michel mon « Serge ». Ils se sont mariés à l'été 1968 et ont divorcé une dizaine d'années plus tard.

— On ne s'entendait pas, dit-il, c'est tout.

Je n'en saurai pas plus. Où est-elle partie ? Seule ? Avec quel Horacio a-t-elle coupé les virages ?

J'apprends juste qu'elle a emmené Laurence avec elle. La petite, née en 1975, avait deux ans à peine quand ses parents se sont séparés. Elle vivait chez sa mère et son nouveau mari la semaine et passait chaque week-end et toutes les vacances avec Michel, ici, à

Clerval. Il n'a pas été un père-pointillé. Il est fier de cela. Chaque samedi il se dépêchait d'aller chercher sa fille. Ensemble ils se promenaient, ils cherchaient les cascades et les animaux des bois, il lui apprenait le nom des arbres.

— On collectionnait les fossiles aussi, des très vieux, datant du temps où la mer était là.

Il dit cela et évidemment, j'entends « du temps où la mère était là ». Je me demande dans quels fossiles un homme comme lui peut bien chercher la sienne.

Nous continuons de regarder les photos. Michel me donne les légendes manquantes. Là, c'était le chien. Et ça, sa première voiture, il en récite le numéro d'immatriculation. Et là, Georges et la petite Laurence, il l'adorait et l'emmenait parfois au bistrot avec lui, en secret. Il lui demandait de ne rien en dire mais oubliait d'effacer les moustaches que la grenadine dessinait au-dessus de la bouche de la fillette.

— Comment vivaient-ils à Lyon ? J'aimerais en savoir plus sur sa vie d'ouvrière, ses engagements, ses amitiés.

Il laisse passer quelques secondes.

— Je n'ai jamais trop essayé de connaître des choses sur ma mère, maintenant que vous m'interrogez je me rends compte de ça.

Ce sont des phrases rapides, des phrases pour faire connaissance, une première visite.

— Tiens, là, c'est elle et son copain maintenant. Depuis que son mari, Georges, est mort, elle a retrouvé un copain, ils travaillent au même endroit, dans la même usine à Lyon. Il s'appelle Pierre.

C'est étrange, ce présent soudain. On pourrait croire que sa mère et son ami arrivent en short au bout du chemin, rentrant d'un jogging. Un petit présent furtif, un temps d'égarement puis revient le passé.

— C'était un homme marié mais elle allait chez eux, et tout et tout. Il faisait beaucoup de course à pied et elle s'est mise à en faire aussi à cinquante ans. Elle s'inscrivait dans les vétérans et elle finissait toujours la première ! Il y avait des coupes partout chez elle, en pagaille. C'était sa vie à la fin. Lui, je ne le voyais pas beaucoup parce qu'il restait chez sa femme, une Germaine également.

— Même prénom ?

— Oui. Comme ça la nuit il ne se trompait pas.

Nous rions.

— L'été ils partaient en vacances tous ensemble, avec les petits-enfants de Pierre et sa femme, ils allaient au bord de la mer, à cinq dans la caravane.

Les deux femmes qui regardent tête baissée et mains jointes le poulet rôtir au camping s'appelaient donc Germaine. Elles aimaient le même homme. L'inimaginable vie des gens – et ces doubles prénoms partout.

Quelques photos, dont celle où figure le tableau peint à partir du portrait de Laurence, ont été prises chez sa mère, à Lyon. J'interroge Michel. Qui l'a peint ? (Ce que je ne demande pas : Est-ce Suzanne, avant d'ouvrir la porte sur sa nouvelle vie ?)

— Suzanne l'avait commandé à un peintre pour me l'offrir, après notre divorce.

À l'évocation de cette époque, une petite brume mélancolique semble envelopper la pièce. Michel parle moins vite, de ce malheur dont il a cru ne jamais se relever. Après leur séparation, la tristesse a duré deux ans. Deux ans à croire qu'il pourra finir par en mourir, asséché de chagrin, réduit en un petit tas de poudre grise comme le bâton de craie qu'on écrase.

Et puis non, il ne meurt pas.

Un jour, le solitaire défie la solitude. Il ne la subit plus, il l'embrasse et la flatte, il en fait sa fierté, sa raison d'être, son indissoluble liberté. D'ailleurs il ne dit plus « je suis seul » mais « je suis libre ». Affranchi de la peur d'être délaissé, assuré de ne dépendre de personne, il se sent fort, enfin. À l'abandonné, la solitude ne jette plus d'acide sur la plaie mais construit une demeure. Elle est sa maison, son château blanc sur la falaise.

— J'étais bien, dit Michel. Je me suis replié sur moi-même, j'ai vécu sur ma solitude sans jamais m'ennuyer. C'était une sacrée belle vie. Je bossais en 3×8 à la gare, ça me laissait du temps pour me balader. Et ma gamine venait toutes les semaines. C'était le bon temps, le très bon temps.

Beau temps ne dure jamais. À la fin des années 1990, il rencontre une femme plus jeune que lui. Il me demande de ne pas citer son prénom, nous pourrions la surnommer Illusion, ou Erreur. J'ai aperçu tout à l'heure, dans la chambre bleue, des photos de leur mariage.

— Mais ça, dit-il, c'est pas intéressant, c'est la plus grosse bêtise de ma vie. Pour elle, j'ai fait les travaux ici, le sol, les murs, elle voulait venir en week-end. Tu parles ! Elle est partie avec un autre et je suis endetté de partout à cause d'elle. C'est pour ça qu'il me faut vendre cette maison.

Il en a fait une dépression, y laissant dix-huit kilos, une partie de sa santé, ses économies et toutes ses passions, « sauf la passion du chemin de fer, dit-il, surtout le chemin de fer ancien ».

Il est près de 17 heures. Le soleil pâlit et la conversation est fatiguée. Michel dit que sa santé est fragile, il est diabétique et un peu cardiaque.

— Vous m'avez retourné le palpitant avec vos histoires.

Avant de fermer mon petit cahier de notes, je lui demande comment il appelait sa mère.

— Vous disiez « maman » ?

— Non, jamais. La seule fois où j'ai dit « maman » c'est sur son lit de mort et j'ai éclaté en sanglots. Jamais j'ai dit maman, pourquoi, je sais pas. Pourtant je savais que c'était ma mère. Je l'appelais « Mèmène » mais pas « maman ». La seule phrase que je lui ai dite sur son lit de mort c'est « Pourquoi je ne t'ai jamais appelée maman ? » C'est tout. Elle est morte juste après.

C'était en 2002. Un cancer. Elle avait soixante-dix-sept ans.

Il tapote sur la table.

Il est temps de partir. Je propose que l'on se revoie, je pourrais apporter le reste des photos, il est d'accord. Mais pas mercredi. Mercredi, il a son rendez-vous mensuel avec sa psychologue. Et pas chez lui :

— Je vis avec la mère de ma deuxième femme, elle me l'a laissée avec ses deux chiens. Eux, ce sont mes copains, mais elle, bon, passons.

Lui qui n'a jamais vécu avec sa propre mère est désormais en colocation avec la mère d'une femme qu'il n'aime plus. Je reviendrai à Clerval.

Je voudrais terminer ici ma journée, rentrer, réécouter tout ce que m'a dit Michel, tout revivre avant d'oublier. Mais j'ai promis à une de ses voisines de passer la voir.

Andrée m'attend avec son amie Marie-Louise. En me rendant chez elle, je songe que si je ne devais garder qu'une chose de ma rencontre avec Michel, ce serait la lumière, la couleur de l'air enveloppant nos deux corps penchés sur les photos. C'est cela dont je décide de me souvenir, ce doré pour pauvres dont elle nous gratifiait.

Sur la route du retour, comme chaque fois qu'il m'arrive quelque chose d'important, je parlerai à ma sœur. C'est comme ça, elle et moi. Sa mort n'y change rien.

Je conduirai dans le soleil couchant, ce sera le calme de l'heure d'après, le vide de l'heure d'avant. Sur ma gauche, un ciel à l'envers, la rivière charriera calmement les reflets des arbres, des maisons, des roseaux. Et peut-être qu'on y verra aussi le reflet de son visage tremblant.

Je lui dirai l'incroyable et beau d'avoir rencontré Serge.

***

Andrée et Marie-Louise sont deux petites mésanges si vieilles qu'il me semble pouvoir trouver sur leurs peaux Carbone 14 un peu de l'atmosphère qu'ont respirée Laurence, Eugène et Germaine. Ce ne serait pas de la poussière, ce serait des années, toute une vie déposée.

Elles sont amies depuis toujours. Des bancs de l'école communale à la salle surchauffée où le club du troisième âge se réunit chaque jeudi après-midi, les deux dames, veuves depuis longtemps, auront vécu côte à côte, petites particules d'un ensemble qu'on appelle ici Clerval. J'ai l'impression de visiter une maison où seraient conservées les façons d'être d'une époque morte.

Pour ma venue, Andrée a sorti une tarte, elle la réchauffe au four à micro-ondes et nous sert le café.

Je suis un petit événement.

J'observe Marie-Louise et je peux me souvenir de la petite fille qu'elle était. Menue, joyeuse, espiègle. Elle a sept ans, elle joue à la dame qui prend le café avec une voisine et elles font semblant de parler des vieilles histoires du village. Elle a quatre-vingt-dix ans et elle prend le café avec une voisine en me racontant les vieilles histoires du village. Les deux images se superposent, la fillette, la vieille femme, c'est comme un second degré que Marie-Louise imposerait, une distance un peu ironique qui contient tout.

La sœur de Marie-Louise, Yvette, était très amie avec la mère de Michel. Lorsque Yvette s'est mariée, juste après la seconde guerre, les convives ont cherché les jeunes époux pendant la nuit de noce pour leur faire boire le traditionnel pot de chambre plein de vin et de chocolat. Ils ont fouillé les maisons du village.

— À un moment, raconte Marie-Louise de sa voix un peu nasillarde, on est entré chez les M. et c'est le vieux, l'aveugle, qui s'est dressé sur son lit, tout droit comme s'il revenait des morts. Qu'est-ce qu'on a rigolé.

Et qu'est-ce qu'elle rit encore, à me le raconter. Un grelot d'enfant, une toute petite fille très très vieille.

En relisant mes notes, je me demande si Germaine riait avec les autres lorsque son père s'est levé tel un clown sur ressort, affolé sans doute de ne rien voir de ce qui se tramait chez lui. Avait-elle honte de ce père handicapé ? Réussissait-elle à se réjouir du mariage de son amie, elle dont le père de son fils n'avait pas voulu ? Je ne le saurai probablement jamais.

Les choses s'évanouissent en se vivant. Que reste-t-il ? Que retient-on ? Quand il n'y a plus rien, répondent les petites mésanges de Clerval, il reste les habitudes et les événements, le toujours-là et l'exceptionnel, le ronronnement du quotidien et ce qui le brise.

Ainsi, Marie-Louise se souvient-elle d'avoir vu Victor, le père d'Eugène, lors des tournois de cartes de la veillée et du dimanche après-midi.

— On faisait un gâteau et du café et on jouait. Le soir, c'était saucisse salade. On jouait tard, jusqu'à minuit et on mangeait après.

Les parties de cartes, comme la messe ou les foins sont l'habitude, le socle dont se décrochent parfois les événements, si stupéfiants qu'ils marquent les mémoires.

Un événement : après le décès de sa femme, Victor M. s'était mis en ménage avec une certaine Maria ; c'était une telle faute qu'à sa mort en 1934, Maria dut promettre de ne pas apparaître pour que le curé acceptât de faire la messe d'enterrement du pécheur.

Hormis ces quelques anecdotes, entre rituels et extraordinaires, les souvenirs qu'ont laissés les M. sont généraux. Comme s'ils n'étaient que parts d'un ensemble, pas des individus singuliers.

— Ils prenaient les gens de haut, dit une mésange, ils ne s'entendaient pas bien entre eux, c'était des gens spéciaux, tu te souviens du Léon, toujours en cravate, on ne lui a jamais connu de femme, et le Georges qui vendait la goutte et des fusils.

Marthe, la fille aînée, est morte jeune. Hélène, la seconde, vivait à Paris, placée comme bonne dans une famille.

— C'était une copine de ma mère, se rappelle Marie-Louise. Elles s'écrivaient.

Si l'on pouvait lire ces lettres, pensé-je, trouverait-on ce que je cherche : la vie vraie, unique, dépouillée des anecdotes, des postures, des généralisations et des raccourcis ?

Parmi le groupe des fils M., un seul se dégage. Ce n'est pas Eugène, l'aveugle, mais Georges, le trafiquant d'armes, le sale type. Alors qu'il maltraitait sa femme, il avait réussi à obtenir le divorce à son avantage. L'épouse répudiée finit ses jours dans la misère, survivant grâce aux colis de nourriture donnés par le curé.

— Je me souviens très bien d'elle, dit Andrée. La pauvre, pour gagner un peu d'argent elle venait laver le linge chez nous, tous les quinze jours, les mardis. Elle faisait cuire le blanc après l'avoir décrassé à la brosse. Quand c'était cuit, elle allait rincer au Doubs. Avec le « lessus », l'eau sale, elle lavait les bleus de travail de mon père.

Cette femme, rejetée, obligée de faire des ménages, était, comme Jeanne, la belle-sœur de « mamie Poulet ». Se confiaient-elles leurs difficultés ? Faisaient-elles front ensemble ? Ces questions, c'est étrange, on ne les pose pas. C'est comme si une barrière interdisait d'entrer, la même ici qu'à la quincaillerie hier. Les femmes de Clerval se racontent les gestes effectués (la lessive, le rinçage, le blanc et les couleurs, Jeanne la joyeuse qui se jette à la rivière, et le Doubs comme un fil entre elles) mais pas les moteurs intimes qui les commandaient.

Rester en surface, ne pas plonger dans les cavités sombres, je ne sais si c'est un respect ou une indifférence. Personne ne me dira pourquoi la grand-mère aux lunettes fumées de mon enveloppe ne sourit jamais sur les photos. Je pose des questions factuelles, espérant que des éléments personnels se glisseront dans les réponses, passagers clandestins prêts à témoigner de qui elle fut vraiment. Mais personne ne vient.

— Toutes les femmes se retrouvaient à la fontaine aménagée à la rivière avec leur lessive ? Laurence M. aussi ?

— Certainement, dit Dédée.

Elle a gardé d'elle le souvenir d'une femme gentille. Gentille, un autre adjectif englobant qui dit tout et rien, qui fige mais n'incarne pas.

— Son mari était un coureur, comme tous les M. ; elle n'a pas eu une vie facile. Un jour elle s'est cassé le bras. Je l'ai aidée à faire ses commissions le temps qu'elle se remette. Pour me remercier, elle m'a offert une coupe à fruits en cristal.

Une coupe à fruits en cristal.

Il y en avait une chez mes grands-parents paternels, posée sur le buffet en bois verni, à côté d'un petit crocodile empaillé. On les traitait avec l'égard dû aux objets précieux, époussetés mais jamais utilisés.

Ma grand-mère Odette, née peu après la Première Guerre mondiale (quelle année ? Je ne saurais le dire précisément), aurait pu être la petite sœur de Laurence ou sa fille. Vues de loin, leurs vies ont des trajectoires semblables même si le pavillon où mes grands-parents vécurent les dernières années de leur vie n'a rien à voir avec la masure sans confort des M. Toutes les deux se sont installées à la campagne après avoir vécu en ville, calant leur existence sur celle de leur mari.

Félicien, mon grand-père, n'était ni aveugle, ni (à ma connaissance) coureur de jupons ou trafiquant d'armes. Instituteur puis directeur du collège et de l'internat du village, il en était une figure, quelqu'un qui compte. Mais il partageait probablement avec Eugène l'idée confortable selon laquelle les femmes sont au service des hommes.

Si je pense à Odette, je peux peut-être approcher Laurence. Mais qu'est-ce que je sais de la femme qu'elle fut ? Ma grand-mère se mettait chaque matin quelques gouttes d'eau de toilette au chèvrefeuille dans le cou. Une ou deux fois par an, ses sœurs lui rendaient visite. Alors on l'entendait éclater de rire, rire puissant, rire plus fort que les hommes.

Denise Paulette Jeanne Odette Suzanne.

J'égrène les prénoms de ma grand-mère et de ses sœurs dans le désordre de leur joie. Habillées d'étoffes claires, portant des longs colliers et bien coiffées, elles forment une parade élégante et insolente – et je les imite dans le secret de ma chambre de petite fille. L'une d'elles (je pense qu'il s'agit de Jeanne) fume avec un fume-cigarettes.

Chèvrefeuille et rigolade de sœurs : je crois que ce sont les seuls plaisirs que ma grand-mère s'autorisait.

Et c'est tout, déjà fini.

Je la connais si peu.

Je ne sais pas où elle a enterré ses larmes et ses secrets. Elle gardait dans sa chambre une photo de son frère fusillé par les Allemands pendant la Seconde Guerre mondiale – Raymond ? Jean ? Oh j'ai oublié, pardonne-moi mamie. Elle me l'a montrée un jour, ouvrant une petite boîte avec gravité. Je ne sais plus ce qu'elle a dit exactement, ses mots, ses yeux, sa voix, oubliés, mais qu'elle l'adorait, je le sais.

Si je retrouvais les anciennes voisines de ma grand-mère, les enfants qui l'ont connue, que me diraient-ils d'elle ? Qu'elle était jolie et effacée ? Gentille ? Qu'elle faisait la lessive à la fontaine ? Que son mari était une forte personnalité ? Oui : à coup sûr, ils me parleraient de lui, perpétuant à jamais l'idée que sa vie à elle aura moins compté, qu'elle aura été une sorte de personnage secondaire de sa propre existence.

Raconter « mamie Poulet », sortir sa minuscule existence de l'oubli, c'est rendre un maigre hommage à ma grand-mère. Et buter trop vite sur leur évaporation.

Je me demande ce qu'est devenu le petit crocodile empaillé.

30 septembre 2014

« Nous »

Au téléphone, Michel a dit « nous ».

— J'ai eu Laurence au téléphone mais je ne lui ai pas parlé de nous.

Puis, très vite, il s'est repris :

— Enfin, nous, je veux dire de votre projet.

« Nous. »

Ça ne veut pas dire autre chose que « d'accord ».

Nous avons prévu de nous retrouver à Clerval, pour poursuivre la conversation de la semaine dernière.

— On pourrait faire un petit tour en voiture si vous voulez, vous me montrerez les endroits où vous aviez l'habitude de vous promener.

— Ah oui, très bonne idée, je ne peux plus conduire et ça me manque.

Je ne sais plus quand, lors de cette conversation téléphonique, il a parlé de piège. Il a dit quelque chose comme :

— Parce que, j'y ai bien réfléchi, vous m'avez quand même piégé avec la visite de la maison.

Ça m'a piquée, qu'il puisse croire que je lui aie menti.

— Mais non, je vous assure : je ne savais pas que vous seriez là, je pensais qu'il y aurait juste la notaire, je ne connaissais même pas votre nom quand j'ai pris rendez-vous, j'avais prévu de vous appeler le soir même, je vous jure, je ne voulais pas vous piéger.

Je m'enfonçais, il m'a coupée.

— Ne vous inquiétez pas, je ne vous en veux pas. À la limite, j'ai bien aimé votre démarche.

Une fois la surprise passée, acceptera-t-il de me parler ? À sa place je me congédierais.

Pour qui vous prenez-vous, à vous approprier nos photos, nos souvenirs ? Qui êtes-vous pour surgir ainsi avec votre air de ne pas y toucher et vos questions intimes ? Et depuis quand visite-t-on des maisons sans avoir l'intention de les acheter ? On ne vous a rien demandé. Laissez-nous.

1er octobre 2014

Suzanne takes you down

Il est 14 h 30 lorsque j'arrive à la gare de Clerval où nous avons rendez-vous. Michel m'attend sur le parking. Il me semble encore plus maigre que vendredi dernier. Avec son sac à dos il m'évoque le gamin attendant sa mère après l'école. Il s'assied côté passager. Il me dit qu'il n'est pas en forme aujourd'hui. Le diabète. La fatigue. Mais il est venu malgré tout, heureux à la perspective de faire un tour en voiture dans la campagne.

Nous ouvrons la maison ensemble, la porte, les volets roulants. Sur la terrasse nous tirons la table de jardin jusqu'à une flaque de soleil. Le pré qui descend jusqu'au Doubs a été fauché, il n'y a aucun bruit, la lumière est chaude, c'est une belle journée d'automne.

Je lui réexplique mon projet. J'enregistre pour garder trace de ce moment. Il peut dire non. Je suis prête à l'entendre.

Il dit :

— Oui je suis d'accord.

Il n'y a que la question du nom de famille qui l'ennuie. Nous décidons qu'il sera masqué. Nous convenons aussi qu'il pourra relire ce journal avant la parution.

— Jamais je n'aurais pensé que ma vie intéresserait quelqu'un. Quel est l'intérêt de raconter ça ?

— Je crois que toute vie vaut la peine d'être racontée, chaque vie est un témoignage de toutes les autres. On racontera une époque, une terre, un petit monde. On racontera la vie des gens dont on ne parle jamais. Elle vaut autant que celles dont on parle – autant et aussi peu.

(Il y a là un gouffre, je ne m'y penche pas, je ne surplombe pas, j'y descends.)

(Je n'ose pas vous dire, Michel, que votre vie est intéressante, comme celle d'un nourrisson de six jours, d'une sœur morte trop tôt ou d'un vieillard disparu trop tard, elle est universelle et singulière, elle est par essence bouleversante, que je crois à ça dur comme fer, que c'est même la seule chose en laquelle je crois.)

Il ouvre son sac à dos.

Il a apporté deux albums photos, les numéros de téléphone de sa fille et de son ex-femme et d'autres choses, dont une carte ferroviaire de la région. Je comprends ce que cela signifie : il a anticipé mes demandes, il va profiter de moi pour ranger sa vie.

Il se livrera autant qu'un homme qui n'a pas l'habitude de parler le peut. Parfois, il se taira, ses yeux bleus se brouilleront.

Au loin, un train klaxonne et Michel annonce bien avant qu'on le voie briller de l'autre côté de la rivière :

— Tiens, ça, c'est un train de bagnoles.

La voie ferrée passe juste en face de la maison.

C'est une passion, les trains, et lui dit :

— Le chemin de fer.

Toute sa vie a le bruit des wagons.

— À dix ans j'allais voir passer les trains ici à Clerval. J'étais tout heureux. Y en a qui se mettaient en voie de garage, je regardais les wagons, les étiquettes tout ça.

Je songe à l'enfant triste qu'il devait être alors. C'est à cet âge qu'il vécut l'espoir d'aller vivre enfin avec sa mère puis la déception au bout du pont – la grand-mère l'empêchait de suivre Germaine et Georges et tout le monde pleurait.

Alors il allait voir passer les trains.

J'imagine son cœur se soulever quand une locomotive arrivait. Espérait-il qu'elle lui ramenait sa mère ou qu'elle allait l'emmener vers elle ? Ou alors : rêvait-il qu'il partait loin d'eux tous, ses grands-parents trop présents, sa mère trop absente, tous ces gens de Clerval qui le regardaient en chuchotant trop fort le mot qui tape derrière les oreilles, *bâtard* ?

— Ensuite, j'ai eu la chance de trouver un emploi en rapport avec cette passion. J'ai commencé au chemin de fer, ici, à Clerval. Deux mois, pour voir ce que c'était. C'était en 1962, j'avais dix-sept ans. Après, j'ai été muté à 20 kilomètres d'ici. J'allais en vélo jusqu'à la gare et je prenais la navette. En 1965, c'était l'armée. Ils m'ont demandé ce que je voulais faire, j'ai dit « Je voudrais être dans le train ». Mais le train à l'armée c'est pas le chemin de fer, c'est les transmissions, les téléphones tout ça ! Je me suis retrouvé au dépôt du génie de l'air à Toul, le service chargé de construire et d'entretenir les aérodromes militaires, les pistes, les tours de contrôle. Il y avait toutes sortes de pièces de dépannage, tout pour les bulldozers, pour les grues, vous aviez tout, du plus petit boulon jusqu'au pneu haut comme le toit. Il y avait des millions de pièces rangées dans des petites boîtes, des grosses boîtes ou des hangars pour les plus grandes. C'était tout écrit en anglais. Je recevais les pièces, les répertoriais et les rangeais. On faisait tout à la main, il n'y avait pas d'ordinateur. C'était un bon boulot, ça me plaisait beaucoup. J'ai fait ça pendant 16 mois. À la sortie, en 1966, j'ai commencé à travailler à la gare de Montbéliard, je ne l'ai jamais quittée.

Entré poinçonneur, il en sortira chef de poste à l'heure de la retraite. C'est à 40 kilomètres de Clerval, c'est loin, c'est bien. L'autre vie commence, elle est belle et triste comme une chanson de Leonard Cohen.

— Suzanne, je l'ai connue dans le train. Avant le service militaire, j'étais en stage en gare-école. Le matin on avait classe, on faisait aussi bien du calcul que du chemin de fer pur, c'était complexe, on dirait pas, mais j'en ai bavé. L'après-midi on allait en gare-école, pour apprendre. Celle où j'allais était sur la ligne que prenait Suzanne chaque jour. Suzanne, elle était jolie, elle était belle. Je vais vous montrer des photos. Elle était jolie, très. C'était le coup de foudre, le seul que j'ai eu de ma vie. Elle était comme ça (il lève un pouce en l'air). Le soir on était libres, après la gare-école. Je prenais mon vélo et je montais la voir. On se voyait dans la nature. On s'est vus longtemps comme ça (il sourit). Après, j'ai été à l'armée, après on est, oh deux minutes (il est ému) après, oh vous êtes compliquée vous (il pleure presque), c'est rien, vous inquiétez pas, c'est des passages à vide, je devrais m'en foutre, depuis, mais j'ai jamais arrivé à m'en foutre (il se reprend), après on a continué à se fréquenter, elle habitait chez ses parents et moi à Clerval. Ma famille ne l'a pas très bien accueillie. Elle était alsacienne, ils auraient préféré que je prenne une Française comme ils disaient, la guerre n'était pas loin pour eux. Puis on s'est mariés, en 1968, je ne sais plus quand précisément, mais à l'été. Il y avait encore le restant des émeutes de mai 1968. Les ouvriers de Peugeot remontaient depuis l'usine sur les voies pour caillasser les trains. Après le mariage, on s'est installé à Montbéliard. Quand je suis parti ma grand-mère faisait une sacrée tronche. Elle pensait que je resterais avec eux. Je les aimais bien mais je ne pouvais pas faire ma vie ici.

Il a parlé d'une traite, hésitant parfois à suspendre l'enregistrement. Il semble avoir peur de dire du mal des uns ou des autres. Il est responsable d'eux, désormais, de leur mémoire.

Le jeune couple loue d'abord un deux-pièces à l'étage d'une petite maison, le propriétaire vivait en dessous.

— J'étais heureux comme tout. On était tout à côté de la gare, j'y allais à pied. Suzanne était secrétaire dans une entreprise de bâtiment à l'autre bout de la ville alors elle s'était payé un petit solex.

— Une mobylette ?

— Non, non, un solex. Après on s'est acheté une bagnole. On faisait des navettes pour aller chez sa mère et à Clerval.

Je pense à mes personnages, à la mobylette de « Michelle », au rituel trajet du samedi pour rejoindre les grands-parents. C'est ce que nous faisions avec mes parents ; c'est ce que faisaient aussi Michel et Suzanne, reliés par l'élastique du c'est-comme-ça à cette maison où tout commence et ne se termine jamais.

— Le week-end, vous sortiez, vous voyiez des amis ?

— Non. Je ne sortais pas, je n'ai jamais été au bal, je ne sais pas danser, ça ne m'intéresse pas.

C'est drôle : ma question s'adressait à un vous collectif, au vous du couple Michel et Suzanne. Il l'a prise pour lui tout seul. Il poursuit.

— J'avais juste deux, trois copains un peu de mon genre, on partait en vélo. Suzanne avait des copines du boulot mais on ne se fréquentait pas en dehors. Je n'ai jamais invité d'ami chez moi, seulement la famille, deux fois par an, et encore. On n'allait pas trop au restaurant, non plus. Je bouge tout le temps mais exclusivement dans la nature. Même quand on allait sur la Côte d'Azur, en camping SNCF, je préférais aller marcher dans l'arrière-pays. Je suis très solitaire, casanier. Ceci explique cela, peut-être. Suzanne avait d'autres envies, je pense.

Elle cherche une phrase qui dise Bouge, fais-nous dévier.

Michel a ouvert le premier album photo.

Suzanne est un visage ovale et doux, elle a lissé ses cheveux. Ils marchent fièrement à la fête du village, il porte son uniforme de soldat, elle a une robe qui lui arrive aux genoux. Elle est un noir et blanc nacré. Elle est assise sagement chez ses parents, derrière elle sur un petit guéridon, il y a la photo de sa communion. Michel pose sur sa barque avec le chien, il est coiffé comme James Dean et ne sourit pas. Ils se marient. Michel a grimpé sur un toit – et l'on voit derrière lui le clocher à la bande blanche. Laurence naît. Suzanne met le bébé dans un panier et sourit sur le balcon de leur appartement. Elle s'est fait une permanente, ses cheveux sont bouclés seventies. Ils ont un couple d'amis, ce sont des Belges. Elle montre ses gambettes avec des copines du bureau. Elle allume des bougies et une table est mise, derrière elle on voit un tourne-disque, Michel se souvient qu'ils aimaient les musiques de westerns spaghetti.

Ses yeux bleu buée.

Suzanne un jour l'a laissé. Elle a pris la petite et elle est partie. Michel dit qu'elle ne le trompait pas depuis longtemps, quelques semaines tout au plus, c'est important pour lui, une marque de respect. Il ajoute qu'elle a souffert elle aussi de la séparation. Elle a hésité un peu, est revenue et puis, elle est partie pour de bon. Il est resté seul.

Les blessures d'enfance ont ceci de commode qu'on les connaît par cœur, on en sait tous les recoins, elles font mal mais elles ne surprennent pas. Michel sait être abandonné. Il enfile le costume de nouveau – l'avait-il jamais quitté ? Il reconnaît toutes les sensations, le monde trop étroit et trop vaste, l'écho qu'on entendrait si quelqu'un parlait, l'impression de ne pas compter, d'exister si peu, de ne valoir rien, il les déteste autant qu'il les maîtrise. En ce sens, elles sont presque rassurantes. Elles sont chez lui.

Toute sa vie, l'abandonné se débat contre le même monstre vide, il s'entaille à ses invisibles griffes. L'abandon est un fardeau creux, il pèse des tonnes.

En écrivant ces lignes, je nous regarde, de l'extérieur. Un homme et une femme, ils ne se connaissent pas. Il lui dit pourtant des choses intimes, ils partagent de l'essentiel. Ils sont sur la terrasse d'une petite maison à vendre, elle semble avoir été construite pour qu'un jour d'automne, l'homme montre à cette femme qu'il ne connaît pas les photos de sa vie. Ce serait romanesque, l'histoire de l'homme qui croit que sa vie est finie, il voit débarquer une Parisienne intéressée par des vieilles photos de sa famille. On pourrait broder, creuser, en découdre et en recoudre. Mais le temps du roman est terminé. Je dois être fidèle à ce que me donne Michel. Il a apporté deux albums, un pour chaque mariage. Il ouvre le second.

— Tiens, ça c'est l'erreur de ma vie, mon démon.

En 2004, quand il l'épouse ici, à Clerval, il veut croire que le « démon » sera sa deuxième chance. Elle a dix-huit ans de moins que lui, une excentricité que l'on peut prendre pour de la joie et l'art de savoir décider pour deux. Sur la terrasse, à l'endroit où nous nous trouvons, des tables ont été dressées pour l'apéritif, on a accroché des ballons, servi des verres et trinqué aux jeunes mariés. Tout le monde est là, même Suzanne, le premier amour, venue avec son second mari et leur fils.

Laurence est présente aussi, et je la découvre adulte sur les photos que me montre son père. Je cherche dans les traits de la jeune femme, cheveux courts, élancée, élégante, la petite fille de mes photos. Cette Laurence n'a pas été abandonnée ; elle n'est pas partie en Argentine à la recherche de sa mère. Probablement ne connaît-elle pas les rives brunes du Rio de la Plata. Pourtant je vois, à son dos droit et à son regard franc, qu'elle ressemble à « ma » Laurence.

Après l'apéritif il y a eu un repas au restaurant. D'autres photos ont été prises, la lumière du flash n'est pas flatteuse, les convives ont l'air fatigués de cette comédie trop éclairée. Michel me renseigne : celui-là c'est le premier mari de ma deuxième bonne femme, là c'est son père, ça c'est le mari de ma fille et ça le bonhomme de ma première femme.

Famille recomposée ne répare rien.

Nous fermons la maison, je l'aide à boucler la serrure, un peu raide. Il me dit :

— Ah ben dis donc, tu y arrives du premier coup, j'en reviens pas !

— Tu penseras à moi la prochaine fois que tu voudras la fermer.

— Oh tu sais, je pense à toi tout le temps depuis que tu es venue. Ça me remue tout ça.

— Tu en as parlé avec la psy ?

— Non. Je ne lui ai pas parlé de nous. Enfin, de nous, je veux dire de notre…

— Rencontre ?

— Notre relation. Enfin, relation, on va trouver que c'est ambigu comme mot.

— De mon projet.

— Oui, voilà.

Nous. Il tient à me le redire.

L'enquête sera aussi la sienne. Nous partons à Voillans.

***

C'est à dix minutes de Clerval, un village au cœur d'une petite vallée, entouré de collines boisées, deux cents habitants répartis sur deux coteaux. Autour de 1850, Joseph M., l'ancêtre tyrolien de Michel, est venu s'y installer. Il est la genèse de la lignée. Sans lui, rien ne serait arrivé, même pas une enveloppe pleine de photos au courrier un matin de juin 2012.

Nous avons rendez-vous avec un ancien enseignant, passionné de musique et d'histoire. Lorsque je l'ai contacté il y a quelques jours, il a proposé de nous faire visiter le village. Il est heureux de recevoir un descendant de « l'Autrichien ». Aux personnes que nous croisons, il présente Michel comme une personnalité. C'est amusant. Ça surprend Michel, je ne suis pas certaine que cela lui fasse plaisir. Il a l'air à la fois totalement présent et parfaitement absent.

Nous passons chez l'ancien maire de la commune. Il a noté les souvenirs de son père dans un petit cahier d'écolier. Une page concerne Joseph M. Il nous la lit.

« Maison M aux lieux dits “Les Souchets”.

La maison en pierres de taille a été bâtie par Joseph M. C'était un maçon, tailleur de pierres de nationalité autrichienne qui paraît-il était d'une force peu commune.

D'après les vieux de son époque, il couvrait un écu de cinq francs (Napoléon, diamètre 37 millimètres) avec son pouce. C'est lui qui a taillé les pierres et construit la grande fontaine et il mettait en place ces pierres très lourdes avec l'une de ses filles et sans aucun appareil.

Une légende disait également qu'il possédait une marmite pleine de louis d'or. Certains l'ont cherchée sans grand succès. »

À Voillans, on dit des murs bien rectilignes : « Quand c'est droit c'est M. » du nom de l'ancêtre de Michel. La place de la fontaine, construite par lui, a été baptisée il y a quelques années « Place M. ». Nous nous y arrêtons un moment. Nous prenons des photos, Michel pose, assis sur la margelle taillée il y a 150 ans par son arrière-arrière-grand-père.

Joseph venait de Saint Gallenkirch, un petit village des Alpes autrichiennes. En 1855, il a épousé une fille de Voillans, Pierrette. Ils ont eu quatre enfants : Joséphine, Esther, Virgile et Victor, l'arrière-grand-père de Michel. Pourquoi a-t-il quitté l'Autriche ? Nul ne le sait.

En 1888, Joseph a entamé la construction de sa maison, pour laquelle il avait choisi un emplacement à l'écart du centre du village. Sur le coteau opposé le clocher de l'église lui répond. Il ne l'aura jamais habitée, décédant avant de la terminer. La propriétaire actuelle nous accueille chaleureusement, elle vient de se baigner, ses cheveux sont encore mouillés. Derrière la bâtisse, une belle piscine chauffée tutoie désormais les champs ; je me demande si Joseph savait seulement nager. J'observe Michel, attentif et lointain, le flottement de sa présence. Au-dessus de la porte de la maison son ancêtre avait gravé : « VIVRE LA FRANCE. »

En regagnant la voiture, il parle de Louis Pergaud. L'intégrale compte 1104 pages. Il a tout lu.

Il sort de la poche de sa chemise les horaires de train. Le sien passe à 19 h 33. Michel est d'une époque où les horaires de train tiennent sur une feuille en accordéon, où une carte routière se déplie et s'annote, Michel n'a pas d'ordinateur ni de GPS, il a un téléphone portable mais ne sait pas, me dit-il, envoyer de messages avec. Michel est du siècle d'avant le numérique. Sa vie, d'une femme rencontrée dans un train à moi qui le reconduis à la petite gare, est une voie ferrée. Il pose des questions ferroviaires (quelle gare ?) et donne des réponses ferroviaires (le 19 h 33) à l'existence. Il faudra aller à la Poste si je veux lui écrire.

Nous roulons sur la départementale qui serpente jusqu'à Clerval. Il y a des vaches, des arbres, du vert depuis toujours. Je me dis que mamie Poulet a vu cette douceur du soir qui tombe sur le foin qu'on va bientôt ramasser.

Nous sommes fatigués. Il a mangé discrètement du sucre tout à l'heure. Cela lui manque, de pouvoir se balader en voiture. Je ne sais toujours pas s'il ne conduit plus à cause du diabète, comme il me le dit, ou parce qu'on lui a retiré son permis de conduire à cause de l'alcool, comme j'ai cru le comprendre. Je ne lui pose pas la question. Nous discutons de la suite. Je dis que je vais téléphoner à Laurence.

Il parle doucement, c'est presque chuchoter.

— Tu as la même voix que ma gamine. Enfin, des intonations.

Les intonations, les silences entre les mots, nos syllabes sont de la même famille.

Je le dépose à la gare. Il court tristement dans les graviers en criant pour que le train ne parte pas sans lui. Son jean est trop large. Il sera chez lui peu après 20 heures. Je me demande à quoi il pensera en s'endormant. Les portes se ferment. Il m'adresse un signe de la main. Je ne sais pas pourquoi j'ai un peu envie de pleurer.

Est-ce avec Michel ou Serge que j'ai passé l'après-midi ? Serge, vingt ans après le temps du roman, serait devenu Michel tel que je le découvre. La tristesse, le chagrin de la vie, est le sang commun. J'ai rencontré mon personnage.

Tout à l'heure lorsque je parlais à Michel de mon projet, je lui ai expliqué que j'avais écrit une première partie, un roman. J'ai dit, de façon sans doute trop appuyée :

— J'ai imaginé la vie qu'avaient pu avoir les gens des photos, j'ai inventé.

Il m'a coupée gentiment :

— Oui oui je sais ce que c'est un roman.

Et moi je le sais si peu.

2 octobre 2014

Je

Michel me téléphone. Il me demande de lui redire pourquoi je pensais qu'il ne serait pas là, lors de ma visite prétendument immobilière.

Il n'a pas dormi cette nuit.

— Je n'ai pas l'habitude de parler. C'est rare qu'on s'intéresse à moi. Là, je m'ouvre et ça déborde un peu. À un homme, je n'aurais jamais autant raconté. J'ai un peu honte.

— On va y aller doucement, Michel.

Je mesure la violence de mon irruption dans sa vie.

J'ai beau m'en défendre et faire voix douce, je suis une sorte de vampire pour les Gens. Je me nourris d'eux. Je veux, après leurs images, leur histoire, leurs fantômes.

Chaque livre a son règlement intérieur. L'auteur n'a qu'un choix : se soumettre ou pas à la loi du texte, l'écrire ou y renoncer. *Les Gens dans l'enveloppe* n'échappe pas à ce principe. Je dois suivre ce qu'il me dicte, raconter l'histoire telle qu'elle vient à moi, ou arrêter tout.

Je n'arrête pas.

Tout ce que je peux faire c'est installer des protections. Il me faut veiller sur Michel et les siens comme j'ai veillé sur mes personnages. Je comprends aujourd'hui que je dois aussi cesser de me cacher derrière eux. C'est une loyauté et la moindre des choses, je ne peux pas les pousser sur la scène sans les accompagner.

Ce journal que je tiens depuis le début de l'expérience deviendra donc le livre deux des *Gens dans l'enveloppe*. Je l'expurgerai de tout ce qui est annexe mais je garderai l'essentiel : la vraie première personne du singulier. Pour la première fois, le *je* que j'utiliserai coïncidera avec moi.

Évidemment, ça me fait peur.

Le *je* de l'écrivain est plus rassurant, qui cache, protège, éloigne, brouille les pistes et enjolive.

Le *je* de l'écrivain est comme tout le monde, il veut faire son beau, il se recoiffe et met du sent-bon avant de sortir. Il craint autant le ridicule que l'impudeur. S'il était totalement honnête, ce *je* de l'écrivain dirait : Laurence enterre ses phrases dans la forêt mais c'est moi, Isabelle, qui creuse le sol, si profond que je passe mon temps, hagarde, écarquillée d'insomnie, à les chercher partout.

Il dirait qu'il est devenu écrivain parce que se tenir dans le monde et dire *je* était précisément impossible.

J'ai déversé dans le roman les sentiments qui me traversent et que je ne peux adresser directement, je les ai détournés pour l'usage de mes personnages, j'ai construit mon petit circuit de canaux de dérivation.

Je suis à la fois les gouffres de Laurence, les élans de Michelle et les renoncements de Simone. L'abandon est une plaie, une tentation et un inéluctable dénouement. Elles sont ainsi, ces trois femmes, bien plus que mes sœurs : des enveloppes où mettre à l'abri mes pensées.

J'aimerais savoir leur être d'une fidélité de rivière.

3 octobre 2014

Des choses que j'ai apprises

En septembre 1944, pendant trois jours, les combats ont fait rage entre résistants et Allemands à Clerval. Le pont fut bombardé. Les nazis allumèrent des incendies. Treize bâtiments, dont l'hôtel de ville ont été détruits. J'imagine les ancêtres de Laurence, effrayés par les bombes et le feu. Où se cachaient-ils ? Germaine, qui avait une vingtaine d'années, était-elle engagée dans la résistance ?

***

À chaque heure pile, quand la cloche de l'église sonnait, Eugène, le grand-père aveugle de Michel, voulait entendre les informations. On mettait la radio. RTL, toujours. Je me demande s'ils écoutaient aussi Ménie

Grégoire à l'heure de la vaisselle – et ce qu'en pensait mamie Poulet.

***

Dans la maison des M., on n'écoutait en revanche jamais de musique. Les seules chansons dont Michel se souvienne sont des chansons grivoises que chantait son grand-père, les soirs d'ivresse.

***

Au bout de la rue Basse à Clerval, il y a le lieu-dit des Tanneries. Les M. y avaient un verger au bord du Doubs, avec des pruniers, des pommiers et deux énormes cerisiers. Ils y élevaient des moutons que les bouchers venaient choisir sur pièce. Le terrain disposait de sa source propre.

Avec les planches récupérées du pont temporaire (après les bombardements de 1944), Laurence et Eugène y avaient construit à la main une petite maison à étage, entièrement en bois. Elle avait un toit en tuile, on pouvait y rester quand il pleuvait. Attenants à la maison, avaient été bâtis une étable pour les moutons et un poulailler.

On y rangeait le matériel de pêche, les cannes, les rames, la barque était accrochée un peu plus loin.

Aux Tanneries, il y avait parfois, je crois, du bonheur.

13 octobre 2014

Patrie-moine

J'ai un compagnon d'obsessions, je ne l'ai jamais rencontré.

Il est né en 1907 à Clerval et mort en 2002. Il s'appelait Jean Garneret et était curé. Il a consacré sa vie à collecter la mémoire de son terroir.

Un an avant la mort de son père, en 1935, il a commencé à l'interroger et à l'enregistrer, pour conserver ce passé avant la poussière qui vient. Le père Garneret était une figure de Clerval, un de ces commerçants multicartes, à fois épicier, banquier, marchand de grains et de vins, dont les arrière-grands-parents de Michel ont sans doute fréquenté la boutique. Ce qu'il raconte, retranscrit de manière brute par les amis de Gérard à la maison du Patrimoine, est certainement un témoignage précieux sur la vie quotidienne autrefois. Mais quelque chose me dérange, dans les paroles du père Garneret. Elles sentent le sabot de bois.

Le pittoresque est une gangue dans laquelle je pourrais si facilement emprisonner mes Gens, en faire de parfaites caricatures folkloriques. Je ne veux pas les regarder de haut. Je veux l'égalité que procure l'horizontalité.

Espérant y trouver un peu de matière sur la vie quotidienne des M. au temps d'Eugène et Laurence, je note néanmoins des phrases, un décor, une atmosphère.

« Élisa Marchand s'accuse en confession d'avoir mangé “bon sur bon” (une tartine de beurre et de cancoillotte) au derrière (en cachette) de sa grand-mère. »

« Le curé rencontre le Youtre sur le pont et lui dit :

— On ne vous voit pas souvent à la messe.

— Monsieur le curé, j'aime pas aller dans les auberges où c'est toujours le même qui boit. »

« Les jours de foire c'était plein chez nous. On vendait des faux, des râteaux, de tout. »

« Dans le magasin i avait une réclame de rhum, une femme qui était un peu décolletée. Quand ma sœur a vu ça : “Oh ! Je veux pas de ça.” Elle a pris du noir et lui a rhabillé les seins. »

« Mon père, c'est lui qui saignait le cochon, qui coupait, qui faisait tout. Oh, il ne prenait jamais de boucher, jamais de la vie. Quand on saignait, il aiguisait tous les couteaux, grands et petits, avant de saigner. »

« J'avais une bonne qui était sourde, puis j'avais un petit chat qui était bien dressé et qui lui indiquait quand quelqu'un venait, i se redressait, i remuait les oreilles.

C'était une très bonne cuisinière pis elle aimait bien le vin blanc. »

« Honoré R. est mort il y a quelques années, de froid. Les gens qui le soignaient lui faisaient du feu, il retirait les bûches pour en user moins. Son frère, Aimé R., est mort de bonne heure, il a trop bu de vin blanc et il courait les filles. »

« Tu n'as jamais vu B., le père de la Marie ? Eh bien moi je l'ai vu en colère mordre un arbre. »

C'est beau, mordre un arbre de colère.

J'aurais aimé écrire cela.

Au bas d'une page, le refrain d'une chanson, je le photographie et l'envoie à Alex :

« À Clerval sur le pavé
Y a des filles à marier
Il y en a des petit's et des grandes
Elles sont toutes à marier
Et personne ne les demande »

14 octobre 2014

Oui

J'ai téléphoné à Laurence.

Mon cœur battait vite.

Elle était encore au travail.

Ça l'a inquiétée d'abord. Avec son père, elle a dit, c'est souvent des mauvaises nouvelles.

J'ai expliqué :

— Voilà, mon projet c'est de raconter la vie de votre famille dans toutes ses générations.

Elle a demandé :

— Mais jusqu'à mon père ou… ?

— Non jusqu'à vous. Si vous en êtes d'accord.

Une occasion de dire non, plusieurs fois je lui en ai proposé.

J'ai répété :

— Je suis convaincue que ce peut être passionnant de raconter, sur la durée, l'histoire d'une famille de Français moyens comme on dit, je crois vraiment que chaque vie mérite d'être racontée, mais évidemment ce sera d'autant plus intéressant que vous m'aiderez.

Elle a dit :

— Oui.

Je vais les connaître, ils vont me faire confiance, ils me raconteront des choses, m'en cacheront d'autres, ils pleureront, ils riront, ils s'étonneront de me dire tout cela. Je sais pourtant que je n'accéderai pas à leur intérieur. Je n'aurai jamais que l'enveloppe des gens.

20 octobre 2014

Laurence

Le train traverse les plaines roussies, éclaboussures d'automne à grande vitesse. À ma gauche un compositeur annote un de ses opéras qu'il va diriger bientôt, en Allemagne. Je relis mes notes. Dans moins d'une heure, je vais rencontrer Laurence.

Je n'ai pas tellement peur.

J'aperçois Michel au bout du quai, cette manière de ne pas du tout regarder. Il ne sourit pas mais je sais qu'il est heureux de me voir, c'est une forme de complicité timide entre nous.

Papa s'assoit à l'écart avec une bière, l'hameçon de son regard jeté derrière tout, cet air de ne rien voir qu'il a. Je sais ce qu'il regarde : il fixe l'absence de ma mère.

En haut de l'escalator, une jeune femme nous fait de grands signes.

Laurence.

Elle est venue avec ses deux enfants. C'est tout de suite facile. Il y a de la place pour nous cinq dans sa voiture. Je suis derrière avec les enfants. Nous traversons des villages mais je ne vois rien, concentrée sur le fait d'être avec eux, partageant cela sans parler beaucoup, la sensation d'être les uns contre les autres.

Laurence et sa famille habitent une maison moderne dans un village. Sous l'auvent où elle se gare, sont rangés des vélos et un sac de golf. Nous nous installons sur la terrasse, à côté d'une piscine que Michel découvre. Il y a longtemps qu'il n'est pas venu.

La cuisine de Laurence : claire, bien équipée, une tablette, des recettes épinglées, une machine à café à capsules métalliques. Ce pourrait être chez moi. Ce ne pourrait pas être à Clerval.

Il y a une quinzaine d'années, Laurence a entrepris de constituer son arbre généalogique. Elle ne sait pas très bien pourquoi mais ça lui semblait important, avant de devenir mère, de savoir d'où elle venait. On lui avait offert un logiciel de généalogie, elle a commencé à chercher. Avec son mari, ils ont fréquenté longtemps les archives. Ils cherchaient ce que cherchent tous les fouilleurs de passé : une trace d'avant qui dirait qu'on est là pour longtemps.

— Du côté de mon père, dit Laurence, c'est bizarre : on n'arrive pas à savoir grand-chose.

Quelque chose échappe et, dans la famille de Laurence, ce sont les femmes. Elle se souvient bien de sa grand-mère et de son arrière-grand-mère de Clerval pourtant. Elles sont des figures omniprésentes de son enfance.

Mais on peut passer toutes ses vacances dans une toute petite maison sans rien savoir de ses occupants.

« Mamie Poulet » qu'elle appelait « mémé Laurence » reste une silhouette austère et silencieuse. Était-ce un secret qu'elle protégeait ou un grand vide qu'elle éludait ?

— Ma grand-mère et mon arrière-grand-mère étaient secrètes, dit Laurence. Je ne sais pas ce qu'elles ont vécu, je n'en ai aucune idée. On m'a juste dit que la mémé Laurence voulait divorcer de son mari qui la trompait mais il est devenu aveugle et elle a dû renoncer. Elle lui a fait payer toute sa vie. Le reste, d'où elle venait, ce qu'elle avait vécu avant, je ne le sais pas. Elle était froide et distante, un brin sévère, toujours habillée en noir ou en bleu marine. Elle ne s'intéressait pas du tout à moi.

Ces femmes sont comme des statues dont on attendrait en vain un mot, des fantômes qu'on secouerait – si au moins on osait. Évoquer leur souvenir n'appelle que des images muettes ; et nous les regardons ensemble.

Pour couvrir le silence des aïeules, restent les archives et les souvenirs. Les souvenirs racontent des emplois du temps, des habitudes, des manies. La grand-mère, Germaine, se levait à 4 heures du matin, même en vacances, elle partait courir à 5 heures puis s'attelait aux tâches ménagères ; après le déjeuner, la famille méprisait la terrible chaleur de l'été et partait marcher ; marcher,

marcher, marcher, il semble à Laurence qu'ils ne faisaient que ça ; le soir, on jouait aux cartes et on lisait des Agatha Christie ou des numéros de *Pif gadget*, que Germaine, ouvrière communiste, rapportait à sa petite-fille de Lyon.

Quant aux archives, Laurence les compile dans un grand classeur, dans des boîtes de photos et dans un logiciel de généalogie. Elles révèlent les bornes des existences comme ces poteaux qui rythment les bords des routes. De son arrière-grand-mère, Laurence a appris qu'elle était d'origine italienne. Sa propre grand-mère s'appelait Laurentine, elle était lombarde et lingère.

Laurentine l'Italienne.

Mémé Laurence.

Laurence.

Le choix du prénom de mon héroïne a répondu non à une loi sociologique comme je le pensais (Laurence ou Sandrine ou Stéphanie, marqueurs d'une génération) mais à une tradition familiale (donner à l'aînée le prénom de sa grand-mère paternelle) que Laurence n'a pas poursuivie : sa première fille ne s'appelle pas Germaine.

Lorsque la mémé Laurence avait douze ans, ses parents, Marius et Rosalie, ont divorcé. L'annonce légale de leur séparation précise que le divorce a été prononcé le 2 juillet 1912 au profit de « la dame demanderesse, aux torts et griefs du mari défendeur ». Marius est présenté comme mécanicien. Sa femme Rosalie vit alors à Morières dans la banlieue d'Avignon. Laurence me montre une photographie de cette époque, prise à Avignon : on y voit son arrière-grand-mère et sa mère, beautés graves.

En 1913, Marius a été condamné par le tribunal correctionnel à 50 francs d'amende pour « outrages à agent ». Il a trente-neuf ans et est alors chauffeur à Vienne.

C'est ce que l'on sait des parents de l'arrière-grand-mère de Laurence.

C'est tout.

C'est peu.

Un an plus tard, la Première Guerre mondiale éclate. Marius est trop âgé pour être appelé. Comment la vie continue-t-elle pour eux ? Combien d'enfants avaient-ils ? Laurence a-t-elle revu son père après la séparation ? En a-t-elle gardé une méfiance des hommes ou au contraire un avantage, comme un mode d'emploi que se transmettent de mères en filles les femmes trahies ?

Elle avait presque dix-neuf ans lorsqu'elle s'est mariée avec Eugène, en octobre 1920. Quand et où se sont-ils rencontrés ? La noce, contrairement aux traditions qui veulent qu'elle ait lieu chez la mariée, a été célébrée à Clerval. Pourquoi ? La famille de Laurence était-elle présente ? Plus tard, a-t-elle vécu les infidélités de son homme comme une répétition de ce qu'avait enduré sa mère ? En a-t-elle conçu une amertume qu'elle a transmise à son tour à sa fille ? On pourrait les aligner encore et encore, et multiplier les hypothèses, les points d'interrogation ne comblent jamais l'absence de réponses.

« Mamie Poulet » (et je n'ose leur dire que je l'appelle ainsi) est morte le 7 mars 1990, à l'âge de quatre-vingt-neuf ans. Elle souffrait d'Alzheimer. La maladie avait avalé toutes ses capacités, la laissant fondue sur elle-même, incapable de parler ou d'utiliser ses couverts. À la fin, elle n'était plus qu'une très vieille et très mutique enfant. Après avoir vécu un temps chez sa fille Germaine à Lyon, là où n'a jamais pu vivre Michel, la vieille dame finit ses jours dans une maison de retraite de la banlieue lyonnaise. Totalement effacée, déjà disparue.

Quand il n'y aura plus du tout d'eau en elle, quand tout sera vide, lu et mangé, elle redeviendra bois.

Comme les archives et les souvenirs des proches, les maisons disent un peu des gens qui les ont habitées. Ils laissent leurs traces dans les murs, à leur corps défendant. Jusqu'à ses quatorze ans, Laurence a passé toutes ses vacances rue de la Traverse avec son père et les grands-parents, seule enfant parmi les adultes. Suzanne, sa mère, se sentait coupable d'avoir quitté Michel. Elle s'acquittait de sa dette en laissant Laurence. Au soir du dernier jour d'école et jusqu'à la veille de la rentrée, la petite débarquait avec son père à Clerval. Une chambre lui était réservée, en haut à gauche du petit escalier, celle dont la fenêtre donne du côté de l'église.

Le plus dur, dit-elle, était de ne pas pouvoir prendre de douche, surtout en été quand la canicule dessinait des lignes de sueur sur les peaux :

— Le confort était vraiment rudimentaire. Je faisais ma toilette au-dessus d'une bassine avec de l'eau chauffée à la bouilloire. Je me lavais les cheveux dans le jardin. Une fois pendant les vacances, mais une seule pour ne pas déranger ses parents, je pouvais demander à une copine du village de me doucher chez elle.

— Tu te baignais parfois, dans le Doubs ?

— Non jamais de baignade, j'ai horreur de ça. Je sais très bien nager mais je n'aime pas l'eau.

Quand je saurai nager, j'irai au fond des rivières, j'en suivrai le cours par en dessous, je connaîtrai tous les passages.

Sur une seule de mes photos, un éclat de rire a été saisi. C'est Germaine, la grand-mère de Laurence, elle ouvre des huîtres avec une de ses voisines. Ça m'a surprise, ça, si peu de sourires, sur le visage des Gens. J'y ai vu de la gravité, bien sûr, mais aussi une forme de liberté : voici des gens qui ne se forcent pas à sourire, même quand on les photographie.

— Elle était joyeuse, Germaine ?

— Assez, oui. Enfin, faussement joyeuse je pense, un sourire de façade contrairement à la mémé Laurence qui n'avait même pas un sourire de façade. Il y avait sans doute des blessures cachées, comme la naissance de mon père, le fait qu'elle l'ait laissé à ses parents. Elle ne m'en a jamais parlé. Elle m'avait dit « J'ai dû aller à Lyon travailler pour subvenir aux besoins de la famille » mais peut-être voulait-elle le cacher, pour que les autres ne sachent pas qu'elle avait un gamin à Clerval. Il n'y a plus personne pour le dire maintenant.

Laurence se souvient de carnets ayant appartenu à son arrière-grand-mère. Longs et étroits, à petits carreaux, ils sont pleins de sa belle écriture.

— C'était des listes de noms, de prix et de nourriture. Elle notait par exemple : Robert, un cornichon, une tartine, 10 centimes.

Faisait-elle du marché noir ? Était-elle, à l'instar de son beau-frère le trafiquant d'armes, un gros bonnet de la contrebande de cornichons ? Les lunettes foncées de mamie Poulet me fascinent depuis le début. Laurence trouve que ça lui donne un air de mafiosa sicilienne. Cet après-midi avec Laurence, nous décidons en riant que ces lunettes s'appellent mystère, boule de gomme et économie parallèle.

Nous passons les photos en revue ; Michel est assis un peu en retrait, comme s'il accompagnait quelqu'un à un entretien qui ne le concerne pas directement – est-ce moi ou elle ? De temps à autre, Laurence lui demande une précision, il sait toujours parfaitement de quoi nous parlons.

Je note tout, j'enregistre tout, les souvenirs, les impressions, les interrogations. Ça fait comme un tas de vêtements ayant appartenu à des gens disparus, des fragments de vies vraies qui ont gardé la forme de ceux qui les portaient.

Eugène l'aveugle avait une petite cabane au bord du Doubs, avec un banc duquel il pouvait pêcher. Il avait deux cannes qu'il balançait loin puis plantait dans la terre jusqu'au tintement de la clochette qui indiquait qu'un poisson était pris. Il savait toujours l'heure qu'il était, grâce au clocher. Il restait des journées entières avec une bouteille de *pinard* – Michel choisit ce terme exprès, ce qu'il buvait ne méritait pas le nom de vin. Parfois le vieil aveugle ramenait ses fils de pêche en pelote tout emmêlée. Sa femme passait une demi-journée à les démêler.

On n'avait pas le droit de pêcher la nuit. Quand les gendarmes le surprenaient, Eugène leur disait qu'il ne savait pas qu'il faisait nuit.

Germaine mesurait 1,57 mètre. Sa mère était plus petite encore.

Michel a vu sa grand-mère pleurer une seule fois : quand il est parti pour vivre avec sa première femme. Ce n'était pas pleurer à chaudes larmes, dit-il, plutôt pleurnicher, mais pour elle c'était déjà beaucoup.

Le grand-père Eugène a pleuré quand le chien Cora est mort.

Eugène est mort en 1974, avant la naissance de Laurence.

Michel dit qu'au grenier, à Clerval, il y a une valise pleine de courrier. Il y a vu les talons des mandats que Germaine envoyait à ses parents pour dédommagement de la charge de prendre soin de lui.

Le chat de Germaine s'appelait Poucet, il était énorme et grattait sa litière dès que l'on commençait à préparer le repas.

Germaine a vécu à Nîmes, entre 1945 et 1965, on ne sait pas ce qu'elle y faisait, elle n'en a jamais parlé.

Elle aimait chanter, surtout les chansons d'Édith Piaf, elle a participé à quelques radio-crochets. Elle était végétarienne, elle ne mangeait jamais de viande. C'est pour cela, dit Michel, qu'elle ne savait pas la cuire. Elle était mauvaise cuisinière, ouvrière, communiste, fumeuse de cigarillo et sportive.

Elle parlait fort.

Lorsque Georges, son mari, revenait des courses, Germaine vérifiait toujours la monnaie qu'il ramenait, pour être certaine qu'il ne s'était pas fait avoir.

Dans le Doubs on pêchait toutes sortes de poissons. Et des anguilles que Germaine pendait à des crochets et dépeçait sous l'appentis. Elle faisait ça la nuit, c'était sinistre, dit Laurence. Michel se souvient qu'ensuite on faisait rissoler les anguilles, c'était bon.

Quand Georges est mort, Fernand, son frère jumeau, est venu aux obsèques et les gens ont dit « Mais qui est dans le cercueil alors ? ».

Une seule fois la mémé Laurence a joué au ballon avec la petite Laurence. C'était dans l'impasse devant la maison, ils ont pris des photos.

Le dimanche, Michel et sa fille allaient souvent jouer aux raquettes dans la nature.

Germaine et ses amis Pierre et Germaine allaient au camping à Puget-sur-Argens dans le Var puis à Tain-l'Hermitage dans la Drôme, où la caravane restait à l'année.

Germaine appelait sa petite-fille « ma princesse ». Lorsqu'elle lui rendait visite à Lyon, elle la couvrait de cadeaux et, malgré ses modestes revenus, achetait les mets les plus chers (langoustines, foie gras, escargots).

Germaine adorait Laurence. Ça ne l'empêchait pas d'être dure avec elle. Elle n'aimait pas qu'on se plaigne et ne savait pas être tendre. Un jour la petite lui a montré un poème qu'elle avait écrit. Elle l'a trouvé mauvais. Après ça, Laurence n'a plus fait lire ses poèmes.

À un noël, Laurence a reçu de sa grand-mère une guitare. Elle l'a toujours. Elle n'a jamais appris à en jouer.

Parfois Michel emmenait sa gamine regarder les étoiles du côté d'Anteuil, là où aucune lumière électrique ne vient parasiter la nuit.

Laurence, à Lyon, avait reçu un Télécran, en cadeau.

Germaine a eu un cancer du péritoine. Elle a été malade trois ans et n'a pas voulu que sa petite-fille la voie affaiblie. Elle est morte le 9 mai 2002. On a porté son corps directement de l'hôpital au cimetière. Michel n'était pas là : lui-même hospitalisé, il avait pu venir la voir le jour de sa mort mais n'avait pas eu l'autorisation de sortie pour ses obsèques. Il n'avait rien organisé non plus, ni faire-part, ni cérémonie. Rien. Une dizaine de personnes étaient présentes. Pierre, le coureur, était là.

Après la mort de sa mère, Michel a vendu son appartement lyonnais. Il a tout vidé, avec sa deuxième femme. Ils ont dû faire deux ou trois voyages en camionnette. Et pour finir, il dit, on a tout foutu en l'air.

Pour que Laurence les lise, Michel a apporté deux de mes livres. Il les lui donne :

— Le premier est bien. L'autre, tu trouveras le temps long, faudra que tu t'accroches mais ça te plaira.

J'aime bien la franchise de Michel, elle trace une ligne droite qui nous évite les détours, elle est un parapet, on se dit les choses, les dures comme les belles. Juste après il m'offre une photo de coquelicots parce qu'il a compris entre mes lignes que je les aime.

Ils me raccompagnent à la gare. Nous sommes tous les trois, les enfants sont restés à la maison.

La voiture est calme.

Je répète à quel point je suis contente de les connaître.

Laurence dit :

— Oui, ça fait comme une aventure.

Et Michel se met à parler de l'ennui de sa vie.

— J'ai une vie, disons, assez restreinte. Depuis que tu es venue, le sens de ma vie est chamboulé. Je me laissais un peu aller. Ça m'a réveillé. C'est bien.

Mon Serge.

L'ennui, l'aventure, la vie.

Pour moi la même chose.

Qu'il se passe quelque chose.

Eux et moi, l'aventure plutôt que l'ennui, eux et moi la même chose.

9 novembre 2014

Manques

Quand je téléphone à Michel, il m'accueille d'un « Tiens, voilà ma romancière préférée ! ».

Aujourd'hui il m'a parlé de la valise du grenier de Clerval :

— Il n'y a pas grand-chose, juste des lettres de moi à ma mère où je l'appelle « Ma chère maman », c'est marrant moi qui ne l'ai jamais appelée comme ça à l'oral.

Michel est dans cette phrase tout entier, il se tient petit garçon de soixante-neuf ans, qui n'accordait pas à celle qui l'avait abandonné le privilège d'être appelée maman mais, obligé par sa grand-mère, lui écrivait les mots doux, les mots mensonges.

Je suis tous mes manques et maman est ma pénombre.

Avant de raccrocher il lance, comme un adolescent qui dévale les escaliers, un « Salut ! » pressé.

10 novembre 2014

Achtung

Je retourne chez Laurence demain. Elle m'a invitée à passer l'après-midi avec elle et à rester pour le dîner.

Je vais rencontrer son mari.

— Attention, il est alsacien ! a-t-elle écrit dans un mail et je ne suis pas certaine que ce soit une plaisanterie.

J'ai toujours l'inquiétude de rencontrer celui qui dira :

— Stop, fini de jouer, toi et ton enveloppe vous nous embêtez, nous n'avons rien demandé, laisse-nous.

J'imagine ce soir que ce sera lui, « l'Alsacien ». Ou bien la mère de Laurence, « Michelle » Suzanne que je rencontre après-demain, pour déjeuner. Suzanne à qui j'aimerais poser toutes les questions, Suzanne aimable au téléphone mais que je ne verrai pas seule, son mari sera là. Il ne s'appelle pas Horacio mais Jean-Paul.

11 novembre 2014

Presque 40 ans

Certains enfants s'effacent en grandissant. Laurence est de ceux-ci, elle ne ressemble pas à la fillette dont je traquais les expressions sur les photos. Ou alors, très fugacement. Quelque chose est resté dans la manière dont se plie sa bouche lorsqu'elle sourit. Pour le reste on dirait qu'elle est tout à fait une autre. Comme si grandir avait consisté pour elle à se débarrasser de l'enfant qu'elle était, celle que l'on photographiait à Clerval, petite flamme entourée de vieilles solitudes.

La voir aujourd'hui chez elle, c'est éprouver l'épaisseur de tout le temps qui a passé.

Laurence est jolie, je ne sais pas si je l'ai dit déjà. D'une joliesse qui n'appelle pas la flatterie. Elle n'aime certainement pas cela. Elle a quelque chose de racé, d'un peu intimidant. Son visage est dessiné avec précision, à traits sûrs, pas de flottement dans son ovale. Son corps est mince sans qu'elle ait l'air fragile.

Tout en elle dit qu'elle sait ce qu'elle pense. Bien sûr, elle doit avoir ses moments perdus, à se demander où elle va tous phares allumés, à chercher au cou de son mari une prise où s'accrocher ; comme tout le monde Laurence a peur de tomber. Mais elle a construit une discipline, on sent comme une armature à son bâtiment interne, un contrôle émouvant, une manière de se tenir dans la vie, debout, droite. Elle ne racontera pas ses faiblesses, elle ne leur fera pas ce plaisir.

Je cherche le mot et je trouve : verticale.

Et puis un autre : minérale.

Oui, voilà, Laurence est minérale.

Elle est un petit caillou pour ne pas se perdre, une roche que polit le ruisseau, la montagne millénaire à laquelle se mesurent et s'abritent les hommes.

Elle a presque quarante ans.

Nous sommes dans son salon, elle met un peu de jazz. Dehors, le brouillard de novembre gomme un à un les arbres du jardin. Je me sens dans un petit coin du monde. La conversation, avec elle, ne se tarit pas ni ne s'engorge. Laurence parle. Elle a compris que c'était un bon moyen pour ne rien dire d'elle-même. Elle regrettait la dernière fois que sa grand-mère n'ait jamais parlé d'elle. Laurence est son héritière à sa façon, bavarde mais secrète. Sans cesse je l'interroge sur elle, sans cesse elle répond sur les autres, ses parents, grands-parents, petits pas de côté qui ne doivent rien au hasard mais tout à sa réticence à s'exposer. D'ailleurs, me dit-elle d'emblée, si elle est toujours d'accord pour participer à mon projet, elle tient à une chose : elle ne veut pas apparaître dans le livre, elle ne veut pas qu'on puisse la reconnaître.

— Mais pas du tout.

Elle est désolée de me demander cela, elle ne sait pas à quel point elle me fait avancer au contraire : mon personnage n'est pas elle, Laurence n'est pas « Laurence » mais une jeune femme qui résiste à l'exhibisme ambiant et demande légitimement à protéger sa vie privée.

Nous convenons de plusieurs choses : elle et sa famille ne doivent pas pouvoir être reconnues, je ne citerai ni son nom, ni les communes où elle vit et travaille ; les enfants doivent être protégés plus que quiconque ; Laurence lira le livre avant qu'il ne soit publié. Ça la rassure, ça me rassure.

Son mari, qu'elle m'avait décrit comme taiseux, se joint à la conversation. Il aime discuter, ça se sent aux mots choisis, à cette manière qu'il a de réfléchir en parlant. Il a préparé le repas, il y a du feu dans la cheminée et un bon malbec dans nos verres. Ces deux-là ont l'air d'être en paix avec eux-mêmes.

En 1977, lorsque Michel et Suzanne se sont séparés, j'avais moi-même six ans. Les divorces étaient rares à l'époque. J'entends encore ma mère dire « Les pauvres gosses » en parlant de voisins dont les parents divorçaient, sous-entendant que la recherche du bien-être des enfants aurait dû empêcher la rupture conjugale. Je réalise que j'ai plaqué ce schéma dans le roman : « Laurence » est victime de la séparation de « Michelle » et « Serge ».

— Leur divorce, me dit au contraire la vraie Laurence, a été la chance de ma vie. Je bénis mille fois ma mère d'être partie. Nous avons pu avoir une vie ouverte, avec de la culture, des amis, une vie normale, quoi. Ça nous a sorties de la vie de mon père, qu'il a le droit d'avoir mais qui n'est pas pour moi.

Elle a peu de souvenirs de la séparation proprement dite, elle avait deux ans et trois mois.

— Ah si ! Je me souviens du jour où nous sommes parties avec ma mère : j'étais si petite que j'avais du mal à grimper dans la voiture, elle me semblait très haute. Mais vraiment, je n'ai pas le sentiment d'en avoir souffert. Ça m'a apporté beaucoup, j'avais deux familles, une ici avec mes parents et lui là-bas. C'était très bien comme ça. J'ai eu de la peine pour lui, qui était seul, mais jamais pour moi.

Elle connaît les places et les rôles assignés, les trous et les aspérités, elle sait les reproductions inconscientes, elle a eu tant le loisir de les observer chez ces adultes qui l'entouraient, seule enfant parmi eux. Je devine qu'elle s'est forgé durant les longues semaines à Clerval un art de la connaissance d'autrui. Elle sait, d'instinct, qu'on se cache toujours derrière ce que l'on n'est pas.

Nous parlons longuement de Michel. Elle l'appelle parfois Papa et souvent Michel. Elle est dure comme peuvent l'être les enfants avec leurs parents. Elle aurait préféré un père qui sache transformer son fardeau en force plutôt que cet homme qu'on échoue à consoler.

— Il n'a pas été aimé, ni par sa mère ni par sa grand-mère, dit-elle. Ces choses ne se rattrapent pas. Il aurait pu devenir un conquérant, il s'est au contraire enfermé dans sa solitude. On a tendu la main, on lui a même proposé de venir vivre ici. Il n'a pas voulu, je respecte son choix.

Minérale, dure et solide comme la pierre.

Elle dit :

— Je lui laisse la responsabilité de sa vie.

C'est à la fois l'obliger et le respecter.

Quand elle avait huit ans, son père l'emmenait parfois à son travail. Il l'installait au micro et elle prêtait sa voix pour les annonces en gare. Ça lui plaisait beaucoup.

C'est Jean-Paul, le nouveau mari de sa mère, qui la protégeait au quotidien. Il a été un autre père et peu importe qu'elle ne l'appelle pas papa.

Je prends en note tout ce que Laurence dit, des lignes serrées dans mon cahier qui dessinent cette chance (chance, chance, chance, elle répète le mot) que lui a donnée sa mère en quittant son père. Elle me raconte l'enfance dédoublée, pas diminuée mais augmentée, presque une enfance au carré. Sa vie urbaine, avec ses parents, ses copines de toutes les origines, les parcs, les bus, les centres commerciaux, et sa vie de sauvageonne à la campagne, petit garçon manqué qui piquait les rames dans la cabane de pêche et partait toute seule en barque, qui grimpait dans les tas de seigle à la ferme (elle aurait pu tomber dedans, se faire engloutir, c'était risqué), montait aux arbres et sur les chevaux sans selle ni personne, cette vie de liberté, elle devait juste rentrer avant la nuit mais refaisait le mur parfois. Elle se souvient, le jars des voisins la coursait quand elle maraudait des poires dans leur arbre.

— À me voir j'étais une petite fille sage mais à l'intérieur j'étais un garçon qui bricole, chante, joue au Meccano et adore les petites voitures. J'écrivais des poèmes aussi.

L'été de ses quinze ans, elle commence à travailler pour se payer des vacances. Elle ne va plus à Clerval mais elle se lève à 4 heures du matin, comme sa grand-mère, pour aller remplir les rayons d'une grande surface. Plus tard elle travaillera dans une station-service et comme vendeuse sur les foires. À seize ans, elle part pour la première fois en vacances ailleurs qu'à Clerval. Ça s'appelle l'Espagne, ça a le goût de son premier amoureux.

— J'étais pressée de vivre ma vie.

Elle est sérieuse, déterminée, travailleuse. Puisqu'elle aime dessiner et fabriquer des choses de ses mains, elle rêve de faire les Beaux-arts mais ses parents (c'est-à-dire Suzanne et Jean-Paul) exécutent son rêve en un quart d'heure (« Je ne sais même pas s'ils s'en souviennent, moi je n'ai jamais oublié cette discussion »). Ils ont peur qu'elle manque de débouchés. Elle capitule et s'inscrit en BTS. Des études courtes, parfaites pour l'impatiente.

— Je le regrette. J'aurais pu apprendre le design.

Elle entre dans la fonction publique et passe tous les concours en interne. Elle a un bon poste aujourd'hui, très loin des destins d'ouvrière et de concierge de ses aïeules. Elle pourrait admirer l'ascension sociale, mesurer le chemin. Mais Laurence n'est pas femme à auto-satisfaction :

— J'ai réussi mais j'ai raté parce que je ne fais pas ce que j'aime.

Elle a repris, depuis ma dernière visite, ses recherches généalogiques. Elle est remontée jusqu'à un chevalier du roi, Jean du Beuf, mort en 1412 dans la Drôme. Il y a des châteaux dans l'arbre généalogique. Il n'y a plus qu'une maisonnette à Clerval.

— Comment peut-on se retrouver sans rien alors qu'on vient d'une lignée qui a tant eu ? se demande-t-elle.

Elle passe toujours son temps libre à « bricoler », peindre, faire du point de croix (« Je sais pas pourquoi mais j'adore ça ») et des enluminures. Elle a commencé il y a sept ans à peindre une icône. C'est un art lent.

Comme le reste est intime, elle n'en dira que l'essentiel et je n'en noterai que la carcasse. À vingt ans, elle fait la connaissance d'Éric. Il est grand et calme, il sait regarder dans les yeux. Un mélange rassurant de sérieux et de désir. Il aime marcher dans la nature, elle lui apprend le nom des arbres. Ils partagent l'amour des voyages (elle dit « on a le goût de l'étranger ») et des bons restaurants, ils se choisissent. Mariage en 1999, deux enfants naissent. Ils ont failli être expatriés en Inde il y a quelques années, ça ne s'est pas fait, ça les a déçus.

— Et après, dit-elle pour clore la conversation, il y a Isabelle Monnin qui vient nous voir avec son idée bizarre !

Avant de passer à table, Laurence m'interroge sur ma famille. Je lui dis que je ne sais presque rien sur mes grands-parents et rien du tout sur mes arrière-grands-parents.

— Pourquoi ne fais-tu pas de recherches ?

— Je ne sais pas, peut-être ma famille ne me semble-t-elle pas intéressante.

Elle sourit, d'une pointe de malice.

— Ah non, rappelle-toi ce que tu m'as dit : toutes les familles sont intéressantes.

— Oui, tu as raison.

(Je ne sais pas, Laurence, te dire que chercher ta famille c'est comme trouver la mienne. Je ne sais pas te dire mon pressentiment de l'effacement de tous les instants importants, de la vacuité de nos petites mémoires, de l'absurde merveilleux de la vie qui passe comme une photo, en une génération s'oubliera.)

12 novembre 2014

Déjeuner chez Suzanne et Jean-Paul

Il ne s'appelait donc pas Horacio mais Jean-Paul. Il ne poussait pas un chariot mais chaque matin, brûlant de timidité, il portait un petit bonjour à Suzanne. Chaque jour, y penser avant d'ouvrir la porte, se sentir idiot mais aimanté, chaque jour alors se violenter, entrer, prononcer quatre syllabes d'audace, « Bonjour Suzanne », se promettre que demain ajoutera un regard ou un sourire un peu plus long aux syllabes. Il ne s'appelait pas Horacio et il avait tout le temps devant lui. Un jour, se jurait-il chaque jour, un jour il oserait dépasser ce bonjour à la fois vide et plein d'elle.

Il ne s'appelait pas Horacio mais quand elle l'a vu, elle a eu le sentiment de le reconnaître. Elle dit que lui était comme le loup de Tex Avery, ça la fait rire fort de me raconter ça. Suzanne aime rire.

Elle est un geyser, une source chaude, un inépuisable appétit.

Elle dit :

— Quand il y a de l'ombre, il y a toujours de la lumière et une simple bougie suffit à éclairer l'ombre. La lumière gagnera toujours.

Elle s'éteignait avec Michel.

Jean-Paul avait la patience de l'allumeur de réverbère. Pendant huit ans, chaque jour, il portait sa petite bougie dans la pénombre de Suzanne. Chaque matin, elle l'attendait, elle ne savait rien de lui, ils s'aimaient déjà bien sûr.

Et ça fait, en attendant le chariot : Est-ce qu'il nous arrive quelque chose ? Dis-le-moi mais dis-moi oui il nous arrive quelque chose, dis-moi quelque chose nous arrive de loin et pour longtemps.

C'est long, huit ans.

Un jour enfin.

C'est la bonne année 1977.

À la nouvelle année, on s'embrasse. Jean-Paul prend son courage à deux mains. Il arrose de baisers les joues du bureau où travaille Suzanne, aux siennes il s'arrête un peu plus longtemps. Le lendemain et tous les jours d'après, pendant un mois, puisqu'on a le droit de la souhaiter jusqu'à la fin janvier, il souhaite la bonne année à Suzanne. Chastes baisers, inoubliables aussi.

Huit ans d'amour secret, non déclaré, huit ans à rêver d'elle, à s'imaginer dans ses bras, à se rêver dans ses rondeurs, à savoir sans le dire. Huit ans et enfin un dernier matin de janvier bonne année : qui des deux a tourné la tête et fait déraper le baiser ? Ils ne savent plus.

Je dis :

— Huit ans, c'est merveilleux.

Jean-Paul répond :

— Euh, c'est douloureux surtout.

Et ils rient. Leurs rires s'emmêlent et n'en font plus qu'un, océanique, déferlant de jeunesse.

Jean-Paul vient du massif vosgien, où sa famille avait une ferme. D'abord ouvrier à la chaîne, il est devenu, à force de cours du soir, cadre dans l'entreprise où Suzanne est secrétaire. Ce n'est pas l'exotisme exaltant de l'Argentine mais c'est de la vie qui s'amuse, et Suzanne veut cela, la vie. Peu après leur rencontre, il l'emmène écouter *La Symphonie fantastique* de Berlioz, ça la bouleverse. Elle dit :

— Je ne connaissais rien, il m'a sortie de la fange.

Elle cherche la phrase qui dit Déplace-moi.

Elle ne trompe pas Michel longtemps. Très vite, elle lui fait l'aveu de sa rencontre avec Jean-Paul. Michel, de dépit, lui ouvre la porte :

— Tu n'as qu'à foutre le camp avec la gamine !

Elle ne se fait pas prier. Laurence est si petite que la voiture lui semble gigantesque. Elles partent. C'est un jour de printemps 1977. Elle le laisse à cette vie étriquée où l'on rit trop peu et ça lui tord le cœur. Elle sait qu'elle lui fait le pire qu'on puisse lui faire : l'abandonner. Pendant dix ans, dit-elle, elle a vécu l'enfer de qui se sent coupable.

Michel, qu'elle appelle Mimi, est celui qui lui a permis de sortir de chez ses parents, elle lui en garde une affection éternelle, une fidélité de pacte d'enfants – elle n'avait pas seize ans lorsqu'elle le rencontra dans le train.

— Je ne connaissais rien, je n'étais jamais sortie de chez moi, il m'emmenait à Clerval, c'était déjà l'aventure pour moi, j'étais toute contente. J'aimais bien y aller, on se promenait énormément, l'été on allait à la pêche, ça nous plaisait. On rigolait, on était comme deux gamins.

Michel est gentil, jamais ils ne se disputent. Les familles, même défaillantes, sont parfois comme des prisons dont on ne peut pas se libérer. Sa mère et sa grand-mère ont beau ne pas savoir lui montrer l'affection qu'elles ont pour lui, elles ont beau lui avoir construit une pauvre enfance, Michel retourne près d'elles dès qu'il le peut.

Il ne sait pas profiter de la lumière de Suzanne.

Après leur mariage (et Suzanne m'apprend que c'est elle qui a poussé à la noce), le couple passe un mois à Clerval. Ils occupent le haut de la maison.

— La grand-mère Laurence m'a fait payer mon séjour, dix francs par jour à l'époque, c'était beaucoup. Elle faisait très peu à manger, des restes ou une boîte de pâté Olida, de la friture et une salade du jardin, on avait faim. Je me souviens, on déjeunait à 11 h 15. Ils ne m'ont jamais acceptée. Pour eux, Michel aurait dû prendre une fille de Clerval.

Avec sa première paye, Suzanne offre deux pantalons et des pulls à Michel.

— Il n'avait rien, je crois qu'enfant, c'était vraiment un pauvre gosse. Il n'avait pas le droit de boire de l'eau à table. Ils étaient durs avec lui.

L'affection de Suzanne pour Michel se confondait avec de la pitié. Et sa pitié se bagarrait avec son instinct de vie.

— Il ne voulait jamais voir personne, jamais d'amis ; je serais morte, comme une fleur sans eau, morte, carrément morte, morte d'ennui si j'étais restée.

Alors, partir.

Culpabiliser d'être partie.

Veiller sur lui comme sur un frère.

L'inviter.

Lui demander d'être le parrain du fils qu'elle a avec Jean-Paul.

Attendre dix ans pour divorcer officiellement.

Puis se remarier en un mois.

Dans l'enveloppe il y a une famille d'aujourd'hui. Des gens qui se sont aimés, des liens qu'on ne dénoue pas et des affections indéfectibles. Lorsque Michel a été hospitalisé, Suzanne, son nouveau mari et leur fils sont allés lui rendre visite. Quand Germaine est décédée, ils sont tous allés à son enterrement, sauf Michel qui était à l'hôpital. Lorsqu'il s'est remarié, ils étaient là, aux premières loges pour le désastre qui s'annonçait.

Voilà la part sombre du récit.

Ils me racontent ce que Michel a juste esquissé lors de nos entretiens. Ce qu'il appelait son « démon ». La nouvelle élue a dix-huit ans de moins que lui qui devient son quatrième mari. Ils se sont rencontrés au café. Un jour, le patron du bar a dit pour rire « On devrait les marier », et Michel a ri. Il s'est laissé prendre par l'ivresse, dans son verre dansait l'idée folle d'une autre jeunesse.

Pour Laurence, c'est un mauvais film. Elle voit son père s'éloigner, accaparé par cette femme excentrique, violente et dépensière. Ils vident les bouteilles et les comptes en banque, Michel est arrêté au volant avec plus d'alcool dans le sang que d'amour chez sa passagère. Il est condamné à une suspension de permis de conduire et obligation de soin. Elle exige qu'ils aillent au restaurant en taxi. L'héritage de Michel fond rapidement. Quand il n'y a plus d'argent, elle s'énerve, les voisins appellent la police en pleine nuit. Mais les économies ne repoussent pas.

Michel est un village en ruines.

S'ils n'étaient mariés, la gendarmerie enregistrerait peut-être une plainte pour escroquerie ou abus de faiblesse. Puisqu'ils sont mariés, il n'a qu'à divorcer et ressasser son mauvais choix.

Le personnage principal du deuxième livre des *Gens dans l'enveloppe* n'est pas Laurence, je le comprends en les écoutant, ni même Suzanne, l'absente des photos, sans doute pas Germaine, l'ouvrière lyonnaise. Le personnage principal de l'enquête n'est pas une femme mais un homme cent fois abandonné et vers qui tout converge, les conversations, les inquiétudes, les agacements. Michel.

Le drame caché de l'enveloppe n'est pas un fait divers mais la tragédie banale des reproductions toxiques. Abandonné par sa mère, abandonné par sa femme, jouissant de la liberté des solitaires, il a fini plumé, maigre volaille, par sa dernière femme. Il ne savait pas dire non, elle a tout pris.

Dans la chambre de Suzanne, au-dessus du lit est accroché le portrait de Laurence qu'elle avait fait peindre pour l'offrir à Michel après leur séparation.

Un jour Laurence l'a trouvé par terre à Clerval, destiné à partir à la déchetterie. Elle l'a ramené à sa mère.

J'ose à peine le photographier.

27 novembre 2014

Maubec

Lunettes d'Alex au réveil.
Œufs au plat.
Café.
Pyjama.
Écrire au lit.
Courir
Oliviers.
Chocolat noir.
Cuisine.
Vin rouge.
Piano.
Ferme les yeux.

Ça commence, mélodie obstinée tape au piano. Puis silence dans la maison (il relit un passage du roman) et piano de nouveau, l'heure des tâtonnements chantés. Il hésite, il râle. J'adore l'entendre râler. Quand il râle, on dirait son père. En bas, je joue chat silencieux, bien immobile dans la flaque de mon travail.

Vers 19 heures, il m'appelle : Tu veux écouter ?

Je l'enregistre en secret (et puis je lui avoue).

Si Alex chante les Gens, c'est qu'ils existent.

Il fait sortir mes personnages du roman. Oui ce sont bien Serge, Laurence, Michelle et Simone, ce sont exactement eux, les miens dans ses guillemets à lui. Il les promène jusqu'au grand barrage, il les berce quand tombe le soir, aller et retour loin du val de Clerval, il les accélère dans les virages, il les soulève et les augmente.

Il les confirme.

Les gens sont des histoires, tu les inventes, ils vivent plus que vrais. Les gens sont une silhouette sur une photo et toute la vie ils sont un pull rayé, un tableau au-dessus de la cheminée, un clocher bande claire, des lunettes fumées, un poulet rôti et des coupes fières. Les gens sont des dates, tu les notes scrupuleusement, des maisons, tu les visites, un bord de rivière, un plat préféré, des cicatrices que rien ne soigne, tu souffles doucement dessus. Les gens sont maintenant des chansons, tu les écoutes et si tu pleures un peu, tu as raison.

1er décembre 2014

Chance

Laurence m'envoie un mail. Je lui ai dit qu'Alex avait l'idée de les faire chanter sur le disque de l'Enveloppe. Il aimerait qu'ils interprètent eux-mêmes les reprises des chansons qui ont compté pour eux.

— C'est toujours aussi dingue cette histoire, écrit Laurence. Tu sais que je n'ai encore rien dit ? Pas même à mon amie de toujours, j'ai l'impression que c'est un peu irréel et qu'en lui racontant, tout s'effacerait comme si on soufflait sur un tapis de poussière, tu vois ce que je veux dire ?

Je vois tellement ce que tu veux dire, Laurence, que je fais des livres pour mettre cette poussière sous cloche, que pas un gramme ne se perde, je vois tellement que même la poussière des gens, je l'aime.

Dans l'enveloppe il y avait des gens bien.
Je mesure ma chance.
Je la serre dans ma main pour m'endormir.

20 décembre 2014

Extinction

Je n'arrive plus du tout à écrire.

Cela fait des semaines.

Je m'assieds à l'ordinateur, je forme des mots, j'aligne les lignes mais tout grésille. J'insiste, je force, je ne renonce pas, je m'épuise à ne pas renoncer.

Ou juste des listes absurdes, des 1 2 3, des tirets inutiles, des qu'on ne gardera pas.

Ma voix est partie, lassée de mes hésitations, elle m'a abandonnée, je ne sais pas quoi faire sans elle, Nicolas dit qu'elle va revenir, qu'elle finit toujours par revenir, elle ne revient pas mais je l'attends, je suis une vieille femme sur une route déserte, elle attend un car qui ne passe jamais.

31 décembre 2014

Sisyphe

Chaque jour de cette année, j'ai pris avec mon téléphone une photo que j'ai conservée et numérotée. Ce matin de dernier jour, je prends la dernière image, numéro 365, et je regarde les 364 autres, des arbres, des nuages, des fenêtres la nuit, des buées et des pluies sur des vitres, des voyages en train, des pancartes routières, les mains de mes fils, des morceaux de villes, Clerval, les yeux de Michel.

De 1 à 365, mon paysage 2014.

Je voudrais, si cela était possible, tout consigner.

Je ne suis pas photographe, je prends des photos. C'est comme saisir un objet avec les mains, c'est l'action concrète d'attraper quelque chose.

Je pense aux annuaires téléphoniques de Modiano, aux mille portraits du Kaddish de Boltanski et même aux archives d'état civil numérisées des Mormons.

La même tentative vaine de conserver des traces matérielles, même infimes, de ce qui fut.

Tout garder, si cela était possible.

Ça a existé, ça a été, regarde, des instants.

Ça a été, ce n'est plus.

Le pour rien de la vie qui se défile.

Un pas dans la neige.

Prendre des photos, recueillir les photographies abandonnées par d'autres, ramasser du bois et des pierres, les mettre sous son lit, et chaque soir dégringoler avec le rocher dans la pente.

14 janvier 2015

Alex dans l'enveloppe

Je présente les Gens à Alex.

Contraste entre la solitude de Michel, qui ne quitte pas son manteau dans le café banal où nous le rencontrons, et la joie chaleureuse des autres, le soir, chez Laurence. Alex est troublé, peut-être ému même, par Michel qui lui rappelle son père. Il est amusé, séduit par Suzanne, Laurence et leur mari, avec qui il plaisante comme s'il les connaissait depuis longtemps.

Nous nous connaissons depuis longtemps : c'est ce que je pense en les regardant. Je les connais depuis bien avant de recevoir l'enveloppe, avant même d'avoir vu les photos sur le site de vente aux enchères. Je comprends ce qui m'a attirée en elles : la familiarité de ce que je connais.

Nous venons du même monde, eux, Alex et moi. Nous partageons les mêmes codes, le rire, le chant, la table, mais aussi le goût de l'effort, la foi en l'éducation et la culture.

Laurence a collé une affiche « Je suis Charlie » sur la fenêtre de son bureau. Suzanne envoie des pensées positives au monde. Jean-Paul fait des blagues. Éric veut tout comprendre, il lit les journaux de la première à la dernière ligne.

Je ne leur demande pas pour qui ils votent (aucune importance) mais je sais que nous avons le même socle. En ce sens, *Les Gens dans l'enveloppe* sera aussi un témoignage de ce petit peuple-là, cette France qui aime rire et chanter, qui parle et rit fort et a un avis sur tout, cette France que des enfants perdus rêvent de décapiter.

Ce soir, je suis une foule sentimentale, j'ai des envies de tendresse nationale.

Ils acceptent, je crois, l'idée de chanter, de déposer leurs voix dans mon livre. J'en pleurerais, moi qui ne retrouve pas la mienne.

25 janvier 2015

Studio Pigalle

Je garderai la beauté d'Alexis lorsque, jambes écartées, il souffle dans son bugle et ça vibre jusque dans nos ventres ; Valentine, sa légèreté et ses graves, la concentration violoncelle ; le sourire timide de Victor lorsqu'il me voit le regarder par la vitre jouer sa ligne de guitare ; le quatuor à cordes, la parfaite synchronie, l'émotion pique l'épaule, et le Premier violon fait des blagues à chaque pause ; les yeux de petit fennec de Karina, ils captent tout, enregistrent tout, disent Profite profite profite ; le travail, la chance rare de voir des gens au travail ; le calme Sphinx de Laurent derrière sa console, le mot, « console » ; une salade patates lardons œufs avalée à la pause avec les musiciens ; le hautbois plein d'eau de Felix ; on a collé un masque d'Angela Merkel au mur de la cabine et le Sacré-Cœur est chaque soir différent quand je remonte la rue Pigalle en quittant le studio.

Je garderai le dos rond d'Alex, concentré sur tous les sons qui nous tournent autour. Je garderai qu'il entend des choses que je n'entends pas. Je garderai qu'il m'a offert ça : enregistrer un album pour *Les Gens dans l'enveloppe*.

14 février 2015

Restes

J'écoute les enregistrements des entretiens que j'ai eus avec Michel, Suzanne et Laurence.

Je pense des choses idiotes comme : leurs voix resteront là, après leur mort, on pourra les entendre longtemps.

Quand les gens ne seront plus là, quand tous les gens, pas seulement mes Gens, ne seront plus là, on pourra les écouter. On pourra aussi leur parler, et peu importe s'ils ne répondent pas, leur parler c'est déjà bien. Et les voir, on pourra. On regardera les photos et tant qu'il y aura quelqu'un pour les reconnaître, on les verra.

Les entendre, leur parler, les voir.

Ce qu'on ne pourra plus faire, quand les gens seront partis, c'est les toucher, sentir la chaleur de leurs corps, le matin surtout, dans le chaud blotti du lit. Caresser et sentir le goût de leurs peaux, on ne le pourra plus.

Faut-il tout conserver pour ne rien perdre ?

Où la mémoire commence-t-elle ?

À la seconde d'après ?

À celle d'avant, qui s'avance inexorablement vers le futur ?

Y penser (je veux dire y penser vraiment, entrer dans la grotte de la pensée sans outil ni lampe de poche), c'est comprendre qu'il n'y a rien, pas de nord, pas de sud, ni d'ouest, pas de couleur, pas de passé, ni bleu ni froid, rien, sauf le monde, cette obstination émouvante et vaine qu'a le monde à rester le monde quand les gens sont partis. Il y a la beauté des paysages anciens.

21 février 2015

Aude

Nous sommes avec Alex chez Laurence pour enregistrer les reprises qu'ils ont choisies. Elles viendront compléter ses compositions originales. Il veut que le disque ressemble au livre : à la fois création et documentaire.

Laurence chante *Émilie Jolie*.

Suzanne, après avoir hésité, accepte de chanter *Les Mots bleus*.

Nous demanderons à Michel, qui ne souhaite pas chanter, s'il veut bien lire un passage du roman.

Alex installe son matériel dans la pièce où se trouve un piano. Elles ont répété, elles sont concentrées, elles sont parfaites et émouvantes, leurs dos droits devant le micro.

Suzanne n'a pas voulu qu'on l'écoute mais j'ai collé mon oreille à la porte. Sa voix sur *Les Mots bleus*, ceux qui rendent les gens heureux, est d'une beauté grave et sensuelle.

Quelque chose a changé. Pour la première fois je ne sors pas mon dictaphone, ils s'en étonnent.

— Tiens, tu n'as pas ton petit appareil ? me demande Éric alors que nous nous installons pour le dîner.

Non. Notre relation a changé depuis notre première rencontre. Nous sommes au seuil de l'amitié et on n'enregistre pas ses amis. On ne raconte pas à tout le monde les moments d'intimité. S'il faut vraiment en dire quelque chose, on choisit des mots aux épaules assez larges, des mots gardes du corps. On dit Chaleur Émotion Chance Joie Affection, c'est dire les choses sans les dire, c'est les transformer directement en souvenirs. En les formulant on les termine. On espère qu'ils ne faneront pas trop vite.

Laurence est un peu émue, elle me dit :

— C'est trop bien, mais c'est bête que ça passe si vite et que ça n'arrive qu'une fois.

(Exactement comme une photo qu'on ne peut prendre qu'une seule fois.)

Nous partageons cela : la nostalgie immédiate de ce qui est vécu. La joie mélancolique de vivre.

***

Laurence et Éric nous interrogent, Alex et moi parlons d'Aude et cela semble naturel, à sa place. Je comprends seulement le sens de ce projet pour moi. Je cherche ce qu'il reste des Gens dans l'enveloppe pour que ma sœur ne disparaisse pas.

Je me souviens d'eux pour ne pas l'oublier.

22 février 2015

Jeter, garder

Lorsqu'ils sont allés ensemble à Clerval, Laurence et Michel se sont disputés.

Après ma première visite, Laurence avait voulu retrouver les fameux carnets où la grand-mère Laurence notait l'argent qu'elle recevait en échange, probablement, d'un peu de marché noir.

Elle a cherché partout, dans toutes les pièces. Dans des cartons, elle a trouvé des disques de Johnny Hallyday, vestiges du deuxième mariage de son père, mais pas les carnets de la mémé. Au grenier, il y avait la valise contenant les lettres envoyées par Michel à Germaine. Des cartes postales assez banales. Pas de carnets de la mémé. À la cave, elle a découvert un peu de vaisselle de sa grand-mère Germaine, enveloppée dans un exemplaire du journal *Le Progrès* de Lyon, datant de 2002, peu après sa mort. Pas les carnets de la mémé. Soudain c'est monté en elle comme une vague. Elle voulait les affaires non seulement de son arrière-grand-mère mais aussi de sa grand-mère Germaine. Elle voulait pouvoir tenir son passé dans ses mains, en sentir l'odeur, en voir la fragilité. Elle a demandé :

— Où est le reste ?

Il a fait celui qui ne comprend pas ; elle a insisté. Il a tenu bon, elle a explosé :

— Où est le reste ? Les affaires de ma grand-mère ? Je suis la seule fille, la dernière de la branche, ma grand-mère est morte et je n'ai rien eu d'elle, même pas une babiole, où sont ses affaires ?

Il a fini par lâcher :

— J'ai tout jeté. Il a bien fallu que je vide l'appartement.

— C'est pas sympa. Tu aurais pu penser à me garder quelque chose d'elle.

— Oh, tu ne vas pas commencer à me reprocher ça.

Si, elle le lui reproche.

Indirectement j'ai provoqué cette dispute. Sans ma venue, Laurence n'aurait pas cherché à retrouver les carnets de la mémé. Elle n'aurait pas demandé à son père où étaient les affaires de Germaine. Elle y aurait pensé de temps en temps, peut-être, mais sans mon irruption dans leur vie, elle aurait repoussé le moment de lui demander. Un jour elle aurait oublié ou bien : un jour il aurait été trop tard.

— Tu vois, ça m'a mise en colère qu'il jette tout, m'a dit Laurence en me racontant l'épisode. Il a tout vidé en cachette, sans rien me dire, il a tout vendu. Il m'a dit qu'il avait tout vendu. Ça me fait mal au cœur. Il a une façon de ne pas tenir compte de ce qu'il y a eu avant et en même temps de se trouver la victime de ça.

Bien sûr, nous avons pensé aux photos de l'enveloppe. Michel m'a toujours dit ne pas savoir comment elles avaient atterri chez un brocanteur. Peut-être, a-t-il suggéré un jour, ont-elles été volées lors d'un cambriolage dont Germaine avait été victime. Mais les dates ne collent pas, le vol ayant été commis dans les années 1980, bien avant que plusieurs photos aient été prises. La vérité est sans doute moins glorieuse pour lui. Les photos ont dû faire partie d'un lot vendu pour débarrasser l'appartement lyonnais de Germaine. Pour beaucoup de familles, les photos sont des trésors incessibles, aussi précieuses que des bijoux. Pas pour Michel.

— Ce sont sans doute des souvenirs douloureux pour lui, dont il voulait se séparer, ou bien une manière de se venger, de laver l'abandon, ou bien il s'en fiche, sa mère n'a pas été vraiment une mère.

— Oui mais c'était ma grand-mère.

Le brocanteur est à l'heure, il gare son camion dans la cour, devant la porte du garage. En quelques heures, avec son fils, il vide la maison. Prenez tout je ne veux rien garder, a dit Serge. Parmi des dizaines d'autres, il emporte une boîte entière de photos sans légende.

Plus tard, Laurence m'écrit un mail.

« Quand ma grand-mère est morte, j'étais seule à son chevet. Je la tenais dans mes bras lorsqu'elle a rendu son dernier souffle, je me rappelle que je la serrais fort et que je lui ai chuchoté que j'étais près d'elle, pour la rassurer et qu'elle sache que j'étais présente.

Je ne l'avais pas vue depuis au moins deux ou trois ans car elle m'avait demandé de ne plus venir. Elle ne voulait pas que j'aie peur en la voyant, j'ai respecté sa demande mais on s'appelait souvent au téléphone.

Quand je suis arrivée à l'hôpital, je l'aie vue presque minuscule dans le lit et ne l'ai pas reconnue, elle n'était plus du tout elle-même. Je ne sais pas si elle m'a entendue, mais dans le fond je pense qu'elle a senti que j'étais là, je suis sûre qu'elle m'a attendue pour mourir dans mes bras.

Le pire c'est que l'infirmière m'a dit "Non elle n'est pas morte, vous ne l'entendez pas respirer car elle a un souffle léger". Tu parles, j'ai bien senti que la vie s'était échappée, je la tenais contre mon cœur – inutile de dire que je ne l'oublierai jamais. Mourir tout seul ne devrait arriver à personne, je suis contente d'avoir été là. »

C'est troublant car Michel m'a raconté avoir été présent aussi lors de la mort de sa mère. « La seule fois où je l'ai appelée maman, m'avait-il dit, c'est sur son lit de mort. » Peu importe l'erreur. La vérité est là : Germaine est morte deux fois, une fois avec Michel, ce fils qu'on lui avait arraché à la naissance et qui lui disait enfin le mot retenu toute sa vie, « maman », et une fois avec Laurence, cette petite-fille devenue aussi forte qu'elle l'espérait quand elle la regardait marcher à ses côtés sur les sentiers autour de Clerval.

Quelques jours après, c'est Suzanne qui me raconte la scène. Contrairement à ce que sa mémoire lui souffle, Laurence n'était pas seule au chevet de sa grand-mère mourante. Dans la chambre d'hôpital, se trouvaient aussi Suzanne et Jean-Paul ainsi que Michel et sa seconde femme. J'imagine un film, c'est la scène finale, une famille autour d'une petite coureuse épuisée de maladie, un fils et ses femmes, une petite-fille qui se croit seule, et la mort qui vient, en une seconde prend la vie et ne couvre pas les gouffres.

Alors s'inclinera vers le silence l'ultime battement de sa vie.

16 mars 2015

Voix, là

Nous retournons en studio pour enregistrer les voix de Camelia Jordana, Clotilde Hesme et Françoise Fabian. Impossible de décrire ce que je ressens. Comme si me revenaient après ces longs mois d'enquête les voix de mon roman, mes guillemets chéris, ma « Laurence », ma « Michelle », ma « Simone ». Elles m'avaient manqué.

Nous faisons écouter à Clotilde l'enregistrement que Suzanne a fait des *Mots bleus* et ses yeux verts se mouillent d'émotion.

— C'est magnifique, dit-elle, ce geste d'avoir accepté de chanter pour vous. C'est bouleversant de générosité.

Chanter est un art de l'abandon, m'écrit Alex dans la nuit.

18 mars 2015

Quitter les gens

Ce soir je suis rentrée tard du studio où s'enregistraient les dernières notes du disque des *Gens dans l'enveloppe*.

Avant que j'arrive, Fabrice, pour travailler au graphisme de la couverture, est passé chercher les photos. Le mur du bureau est dépouillé des Polaroid que j'y avais collés. L'enveloppe n'est plus dans mon tiroir, même son odeur d'humidité est partie.

C'est étrange.

C'est fini.

Mon petit monde vidé d'eux.

24 mars 2015

Les gens dans l'enveloppe

Depuis près de trois ans, je vis avec eux. Ils furent d'abord mes amis imaginaires, figures projetées, canaux de pensées dérivées, messagers clandestins. Puis des personnes un peu surprises à qui j'expliquais mon idée. Ils sont maintenant des êtres qui m'ont confié le récit de leur vie – et je n'aurai jamais assez de mercis pour exprimer ma gratitude.

Je les ai inventés, chantés, rencontrés et pourtant.

Je n'ai évidemment aucune idée de qui sont les Gens de l'enveloppe.

Je les connais comme on peut connaître quelqu'un.

Un peu, si peu, presque pas.

Je pourrais dire des choses d'eux, bien sûr. Mais dire des choses, c'est réduire les gens aux mots que l'on en dit, ça ne suffit jamais.

Alors, quoi ?
Les dire, malgré tout.

C'est l'histoire d'une mère qui ne peut élever son enfant, de là découle tout, c'est la plaie primitive.

Ce sont des pauvres gens de la campagne, devenus ouvriers, puis fonctionnaires puis cadres de la fonction publique, ce serait l'histoire d'une ascension sociale.

C'est l'histoire d'un village, Clerval, où l'histoire ne s'arrête plus. Il faut en partir mais on n'en part jamais vraiment.

C'est l'histoire d'une famille où les femmes s'appellent Laurence. Où les femmes se taisent et on ne sait pas ce qu'elles cachent.

C'est l'histoire de la famille de Jeanne, une femme gaie qui se jeta dans la rivière une nuit.

C'est l'histoire d'une barrière qui se dresse entre les hommes et les femmes sans qu'on la voie, d'une méfiance qu'on se transmet, elle gâche tout (ou alors elle protège).

C'est l'histoire d'un homme qui aime deux femmes prénommées Germaine. Avec l'une d'elles, il court.

C'est l'histoire de la lutte entre l'ombre et la lumière, le sombre et le rire. Le rire gagne mais chacun sait que c'est une victoire provisoire.

C'est l'histoire d'un amour fou, Suzanne et Jean-Paul, insolemment heureux quand tout les assignait au tais-toi. Elle rit si fort que les démons s'effraient.

C'est l'histoire d'un homme qui aime les arbres et les chiens, plus que tout. Écorché de solitude, il boit trop, il ne se souvient pas toujours pourquoi c'est mal.

C'est l'histoire d'une enfant qui veut croire qu'elle a de la chance, puisqu'on lui a interdit de se plaindre. Alors, ça finit par être vrai : elle a de la chance.

Mais non.

C'est l'histoire de forêts et de pierres, c'est l'histoire d'une rivière. C'est juste l'histoire de la couleur de la lumière, en septembre à Clerval.

Des bribes, des bouts, des lambeaux. Je les étale. Si quelqu'un sait coudre, qu'il les assemble entre eux.

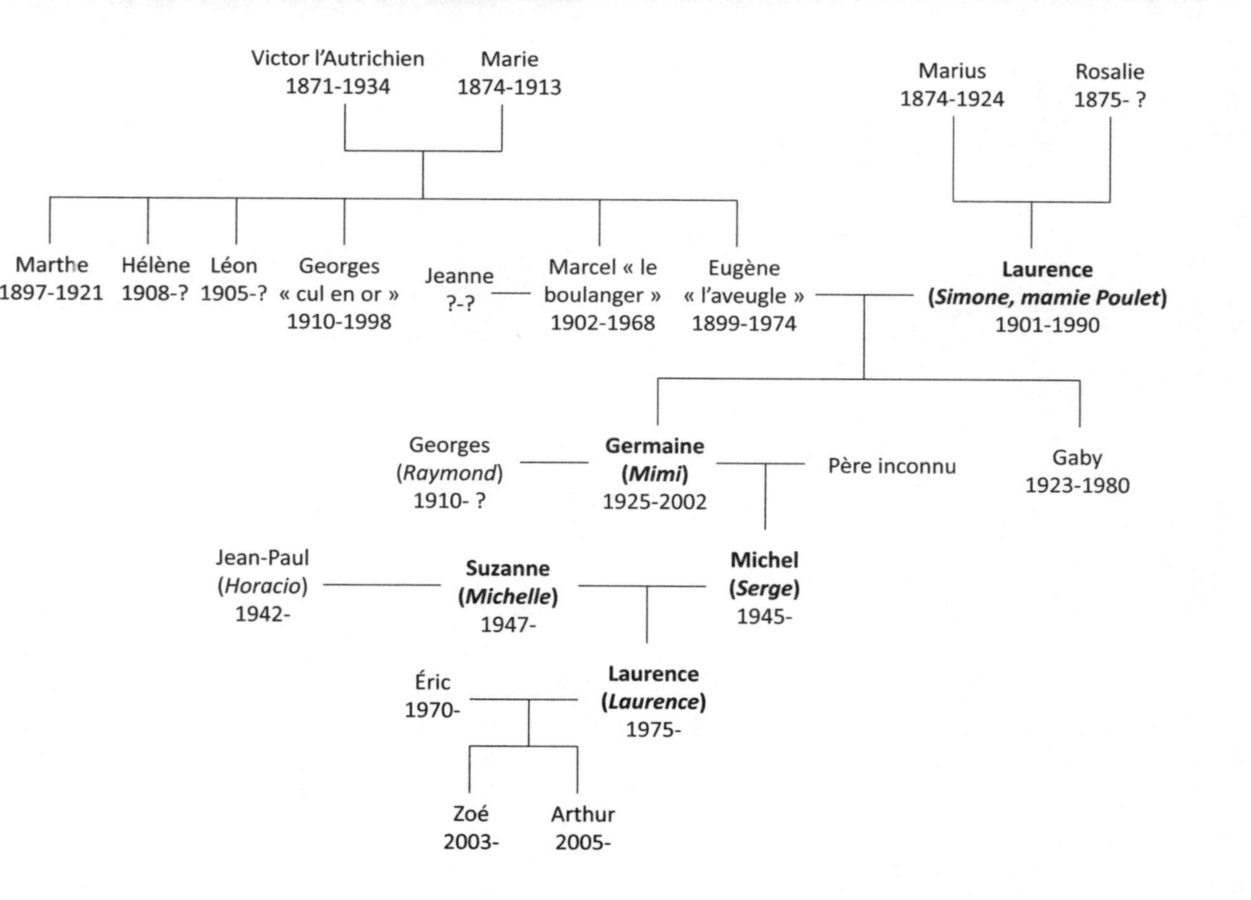
Victor l'Autrichien
1871-1934
Marie
1874-1913
Marius
1874-1924
Rosalie
1875- ?
Marthe
1897-1921
Hélène
1908-?
Léon
1905-?
Georges
« cul en or »
1910-1998
Jeanne
?-?
Marcel « le
boulanger »
1902-1968
Eugène
« l'aveugle »
1899-1974
Laurence
(Simone, mamie Poulet)
1901-1990
Georges
(Raymond)
1910- ?
Germaine
(Mimi)
1925-2002
Père inconnu
Gaby
1923-1980
Jean-Paul
(Horacio)
1942-
Suzanne
(Michelle)
1947-
Michel
(Serge)
1945-
Éric
1970-
Laurence
(Laurence)
1975-
Zoé
2003-
Arthur
2005-

REMERCIEMENTS

Je veux dire ma reconnaissance à la personne qui a eu l'idée de recenser tous les clochers de Franche-Comté, me permettant de trouver le nom du village des Gens dans l'enveloppe ; je veux remercier les habitants de Clerval et de Voillans qui ont patiemment répondu à mes questions, et particulièrement Gérard, qui fut un guide idéal ; je veux redire, enfin, pour la confiance, l'intelligence et la chaleur avec lesquelles ils m'ont accueillie, mon infinie gratitude à Suzanne, Jean-Paul, Laurence, Éric et Michel.

Le disque dans l'enveloppe

Mode d'emploi

Le disque dans l'enveloppe est constitué de dix chansons originales, directement inspirées du roman, et de deux reprises. L'idée d'Alex Beaupain était au départ de suivre le cheminement du livre et d'enregistrer des chansons originales pour la partie fiction, et des « vraies chansons » pour la partie enquête, choisies et interprétées par les « gens de l'enveloppe ». Un versant romanesque, l'autre ancré dans le réel.

Parmi les dix chansons originales, *Clerval*, dont le refrain est un quatrain retrouvé dans les archives du village dans lequel la plupart des photos furent prises, revient à quatre reprises et introduit chaque personnage du roman (Laurence, Michelle, Simone et Serge qui conclut le disque). C'est Alex Beaupain qui l'interprète.

Le personnage de Laurence a inspiré deux chansons (*Du bois et des pierres*, *T'aimer*) et est interprété par Camélia Jordana. À la suite de ses chansons, la vraie Laurence et ses enfants (Zoé et Arthur) chantent une chanson qui a compté pour elle, *Émilie jolie*. Camélia, pour présenter son double de la vraie vie, lit un petit texte dans lequel Laurence parle de ce que ce morceau évoque pour elle.

Le personnage de Michelle est interprété par Clotilde Hesme pour deux morceaux originaux (*Couper les virages* et *Mon cher*). Puis Suzanne, la vraie mère de la vraie Laurence, chante en duo avec Alex Beaupain *Les Mots bleus*. Clotilde lit en début de morceau un petit texte dans lequel Suzanne explique pourquoi elle a choisi ce titre.

Simone, la grand-mère, est interprétée par Françoise Fabian. Pas de reprise après ses deux chansons (*C'était fini la guerre* et *S'étendre sur la table*), la grand-mère de la vraie vie n'est plus et Françoise, dans un petit texte tiré de l'enquête, nous livre une autre explication de cette absence.

Enfin, Michel, imaginé sous les traits de Serge dans la fiction, n'a pas souhaité chanter. Il lit donc les ultimes lignes du roman concernant son double dans le dernier *Clerval*.

Clerval, Laurence

À Clerval, sur le pavé
Y'a des filles à marier
Y'en a des petites et des
grandes
Elles sont toutes à marier
Et personne ne les demande

La première attend déjà
Seulement elle ne sait pas
quoi
Elle veut que quelqu'un
revienne
La rassure et puis l'emmène
Loin du val
De Clerval

À Clerval, sur le pavé
Y'a des filles à marier
Y'en a des petites
et des grandes
Elles sont toutes à marier
Et personne ne les
demande

Du bois et des pierres

J'ai dessous mon lit
Du bois et des pierres
Je passe mes nuits
Dans l'odeur de terre
Le jour je ramasse
Des feuilles et des branches
Que le soir j'entasse
Sous ma couche blanche

Ainsi va ma vie
De pierre et de bois
Où rien ne se dit
Où tout reste là
Figée dans le piège
Des branches et des feuilles
Qui se désagrègent
Sous mon lit cercueil

Dimanche, tu sais
Si je suis bien sage
Nous irons marcher
Jusqu'au grand barrage
Et j'y jetterai
Des fleurs sauvages

Son corps est aussi
De pierre et de bois
C'est à peine si
Il sait qu'il a froid
Ses bras tombent comme
Les feuilles et les branches
Que les mains des hommes
Débitent en planches

Comme elle est partie
Il boit, cœur de pierre
Souchon et Voulzy
Jimmy a les nerfs
Il s'écroule enfin
Débranche et s'effeuille
Puis jusqu'au matin
Ne dort que d'un œil

Dimanche, tu sais
C'est plus de mon âge
Venir s'ennuyer
Sur le grand barrage
Y voir crever
Les fleurs sauvages

J'ai dessous mon lit
Du bois et des pierres
Quand je m'y enfouis
Quand je m'y enterre
Je crève d'envie
Ces branches et ces feuilles
D'en être le fruit
Qu'enfin l'on me cueille (Bis)

Dimanche, tu sais
J'irai à la nage
Te prendre un baiser
Sur le grand barrage
Et je deviendrai
Ta fleur sauvage

T'aimer

T'aimer c'est comme aimer
le vent
Et tu sais mon épicéa
Qu'étreindre le vent
on ne peut pas
Le vent nous file entre
les doigts

Je ne veux plus penser
à elle
Remplacer par nos étincelles
Ce qu'il en reste
dans ma cervelle
Rebelle
Je ne veux plus penser
à avant
Et rien que se le dire
pourtant
C'est y penser décidément

T'aimer c'est comme aimer
la mer
Et tu sais mon bungalow
bleu
Qu'embrasser la mer même
un peu
Ici-bas personne ne le peut

Je ne veux plus penser
à rien
Tête creuse du soir au matin
Vitreuse comme un miroir
sans tain
Enfin
Je ne veux plus penser
au pire
Et pourtant rien que se le
dire
C'est y penser, c'est en
souffrir

T'aimer c'est comme aimer
le feu
Et tu sais mon brin
de muguet
Que ma peau s'est tellement
brûlée
Plus qu'elle ne peut
en supporter

Je ne veux plus penser
du tout

Je voudrais me vider
de nous
Mais j'en suis remplie
de partout
C'est fou

Je ne veux plus penser à toi
Et pourtant rien que se
dire ça
C'est y penser encore
tu vois

Clerval, Michelle

À Clerval, sur le pavé
Y'a des filles à marier
Y'en a des petites
  et des grandes
Elles sont toutes à marier
Et personne ne les
  demande

La seconde s'est lassée
D'attendre elle s'en est
  allée
Elle a passé la frontière
Elle a tout laissé derrière
Les rues sales
De Clerval

À Clerval, sur le pavé
Y'a des filles à marier
Y'en a des petites
  et des grandes
Elles sont toutes à marier
Et personne ne les
  demande

Couper les virages

Le ciel est gris
Les sapins dessinent
Quand vient la nuit
Une prison d'épines
Terreau d'ennui
Ou l'on prend racine
Je voudrais
Je voudrais

Ici on naît,
On vit et on meurt
On se connaît
On se sait par cœur
Tout est parfait
Jusqu'à la terreur
Je voudrais
Je voudrais

Couper les virages
Mettre le feu aux poudres
Et rouler
Et rouler
Belle comme l'orage
Vive comme la foudre
M'en aller
M'en aller
Couper les virages
Ne plus suivre les lignes
Et rouler
Et rouler
Sortir de la cage
Décoller la résine
M'en aller
M'en aller

Tout est en panne
Tout semble fini
Les caravanes
Sont scellées aussi
Bob Dylan
La Californie
Je voudrais
Je voudrais

Cheval de peine
Comme je te déteste
Comme elle se traîne
Ta chanson de geste
Le vent des plaines
Me pousse vers l'ouest

Je voudrais
Je voudrais

Couper les virages
Mettre le feu aux poudres
Et rouler
Et rouler
Belle comme l'orage
Vive comme la foudre
M'en aller
M'en aller
Couper les virages
Ne plus suivre les lignes
Et rouler
Et rouler
Sortir de la cage
Décoller la résine
M'en aller
M'en aller

Le ciel est gris
Les sapins dessinent
Quand vient la nuit
Une prison d'épines
Je voudrais
Je voudrais

Couper les virages
Mettre le feu aux poudres
Et rouler
Et rouler
Belle comme l'orage
Vive comme la foudre
M'en aller
M'en aller
Couper les virages
Ne plus suivre les lignes
Et rouler
Et rouler
Sortir de la cage
Décoller la résine
M'en aller
M'en aller

Mon cher

Je me suis enfuie
De la ville morte
Il aura suffi
D'ouvrir la porte
L'avion dans la nuit
Tout ce qui importe
C'est toi
C'est toi

J'ai laissé ma vie
J'ai été si forte
Mais ma vie même si
Fallait que j'en sorte
Les regrets aussi
Nous ont fait escorte
Et toi
Et toi

Je te chanterai quand
tombera le soir
Ces berceuses étranges,
ces chansons bizarres
Qu'une petite fille attend
dans le noir
Car

Je t'ai tout offert
et tu as tout bu
La chair de ma chair,
mon beau sang perdu
Il faudra mon cher que
tu sois bien plus
Pour moi
Que ça

Il faudra mon cher
Être tout à la fois
L'enfant et le père
Que je n'oublie pas
Que quelqu'un m'espère
Et tremble là-bas
Pour moi
Pour moi

Il faudra mon cher
Que dedans tes bras
Tes bras qui me serrent
Je sente parfois
Son odeur de pierre
Son odeur de bois
Et moi
Et moi

Je te chanterai quand
tombera le soir
Ces berceuses étranges,
ces chansons bizarres
Qu'une petite fille attend
dans le noir
Car
Je t'ai tout offert
et tu as tout bu
La chair de ma chair,
mon beau sang perdu
Il faudra mon cher
que tu sois bien plus
Pour moi
Que ça

Il faudra enfin
Si je pleure un peu
Que tu saches bien
Que l'eau de mes yeux
Tu n'y es pour rien
Et si tu t'en veux
De ça
De ça

Je te chanterai quand
tombera le soir
Ces berceuses étranges,
ces chansons bizarres
Qu'une petite fille attend
dans le noir
Car
Je t'ai tout offert et tu as
tout bu
La chair de ma chair,
mon beau sang perdu
Il faudra mon cher que
tu sois bien plus
Pour moi
Que ça

Clerval, Simone

À Clerval, sur le pavé
Y'a des filles à marier
Y'en a des petites
  et des grandes
Elles sont toutes à marier
Et personne ne les
  demande

La dernière a tout perdu
Tellement qu'elle ne sait
  même plus
Si encore elle est ici
Ou si déjà c'est fini
Le ciel pâle
De Clerval

À Clerval, sur le pavé
Y'a des filles à marier
Y'en a des petites
  et des grandes
Elles sont toutes à marier
Et personne ne les
  demande

C'était fini la guerre

C'était fini la guerre
Elle avait mal au ventre
Il ne restait plus guère
Qu'à la conduire au centre
Il fallait qu'on l'opère
C'était fini la guerre

C'était fini la guerre
Et j'avais mal au cœur
Le manque dans ma chair
De sa pâle douceur
De sa blondeur solaire
C'était fini la guerre

Et ma sœur s'est levée
Et ma sœur a couru
Je pensais que jamais
Elle ne marcherait plus
Et moi je me taisais
Oh comme je me suis tue
Les mots se débattaient
Mais mes lèvres ont tenu
Et mon petit secret
Elle ne l'a jamais su

C'était fini la guerre
Elle avait mal au cœur
Elle ne bougeait plus guère
De son lit de douleur
Je jouais l'infirmière
C'était fini la guerre

C'était fini la guerre
Et j'avais mal au ventre
Tout en moi débordait
Et je voulais qu'il rentre
Me prenne tout entière
C'était fini la guerre

Et ma sœur s'est levée
Et ma sœur a couru
Je pensais que jamais
Elle ne marcherait plus
Et moi je me taisais
Oh comme je me suis tue
Les mots se débattaient
Mais mes lèvres ont tenu
Et mon petit secret
Elle ne l'a jamais su

C'était fini la guerre
Mais c'est jamais fini
Mon cœur comme une
pierre
Jeté au fond du puits
De mon ventre entrouvert
C'était fini la guerre

Et ma sœur s'est levée
Et ma sœur a couru
Je pensais que jamais
Elle ne marcherait plus
Et moi je me taisais
Oh comme je me suis tue
Les mots se débattaient
Mais mes lèvres ont tenu
Et mon petit secret
Elle ne l'a jamais su

S'étendre sur la table

Dans la vallée dévale
Depuis bien avant nous
L'eau qui gagne sur tout
Ce n'est ni bien ni mal
Dès l'aube du premier jour
Elle l'emporte toujours

S'étendre sur la table
Et se sentir friable
Rêche comme une écorce
S'étendre sur la table
Et que le bois aimable
Use mes dernières forces

Toutes nos vies c'est ça
Mouillées par une eau fraîche
Et seule la mort nous sèche
Toutes nos vies pour quoi
Ça n'aura rien changé
Et l'eau aura coulé

S'étendre sur la table
Et se sentir friable
Rêche comme une écorce
S'étendre sur la table
Et que ce bois aimable
Use mes dernières forces

S'étendre sur la table
Et se sentir friable
Rêche comme une écorce
S'étendre sur la table
Et que ce bois aimable
Use mes dernières forces

Clerval, Serge

À Clerval, sur le pavé
Y'a des filles à marier
Y'en a des petites
  et des grandes
Elles sont toutes à marier
Et personne ne les demande

Le brocanteur est à l'heure, il gare son camion dans la cour, devant la porte du garage. En quelques heures, avec son fils, il vide la maison. Prenez tout, je ne veux rien garder, a dit Serge. Parmi des dizaines d'autres, il emporte une boîte entière de photos sans légende.

Au beau milieu de l'hiver
Le fils, le mari, le père
Dépose son cœur
  en offrande
À Clerval, sur le pavé
Et personne ne le demande
Et personne ne le demande
Et personne ne le demande

Chansons et crédits

1 — Clerval, Laurence (01:29)
2 — Du bois et des pierres (03:54)
3 — T'aimer (02:17)
4 — La chanson d'Émilie et du grand oiseau (03:54)
5 — Clerval, Michelle (01:23)
6 — Couper les virages (03:14)
7 — Mon cher (04:18)
8 — Les mots bleus (04:05)
9 — Clerval, Simone (01:31)
10 — C'était fini la guerre (02:56)
11 — S'étendre sur la table (02:59)
12 — Clerval, Serge (02:10)

Écrit et composé par Alex Beaupain
Éditions : Universal Music Publishing – Free Demo

Sauf

11. La chanson d'Émilie et du grand oiseau
    Écrit et composé par Philippe Chatel
    Éditions : Universal Music Publishing France

12. Les mots bleus
    Écrit par Jean-Michel Jarre, composé par Christophe
    Éditions : Francis Dreyfus Music

Voix :
Camelia Jordana (2, 3, 4)
Clotilde Hesme (6, 7, 8)
Françoise Fabian (10, 11) Alex Beaupain (1, 5, 8, 9, 12)
Laurence R. (4), Zoé R. (4), Arthur R. (4)
Suzanne Maire (8), Michel M. (12)

Camélia Jordana apparaît avec l'aimable autorisation de Sony Music Entertainment France / Jive Epic

Guitares et basse : Victor Paimblanc (1, 2, 3, 4, 5, 6, 8, 9, 10)
Pianos, claviers : Alexis Anerilles (1, 2, 3, 5, 6, 7, 9, 10, 11, 12), Alex Beaupain (4, 8), Victor Paimblanc (8), Laurent Binder (6)
Bugles, trompettes : Alexis Anerilles (5, 10, 11, 12)
Batterie : Benjamin Vairon (1, 2, 3, 4, 5, 7, 8, 9, 10, 11)
Arrangement Cordes : Valentine Duteil
Violons : Sophie Dutoit et Johan Renard (1, 2, 3, 6, 7, 9, 11)
Alto : Christophe Cravero (1, 2, 3, 6, 7, 9, 11)
Violoncelle : Valentine Duteil (1, 2, 3, 4, 6, 7, 8, 9, 10, 11)
Hautbois : Félix Rémi (2)
Réalisé par Alex Beaupain
Enregistré par Laurent Binder au studio Pigalle (Paris) et studio de la Seine (Paris)
Mixé par Laurent Binder au Studio gouverneur à Paris
Masterisé par Yves Roussel Mastering
(p) et (c) 2015

Merci à : Nicolas Mariot, Pierre-Emmanuel Mériaud, Maxime Delauney, Anne Cordier et Ingrid Leroy.

CET OUVRAGE A ÉTÉ COMPOSÉ
PAR NORD COMPO
ET ACHEVÉ D'IMPRIMER
PAR GRAFICA VENETA
POUR LE COMPTE DES ÉDITIONS J.-C. LATTÈS
17, RUE JACOB – 75006 PARIS

JC Lattès s'engage pour l'environnement en réduisant l'empreinte carbone de ses livres. Celle de cet exemplaire est de :
967 g éq. CO_2
Rendez-vous sur www.jclattes-durable.fr

N° d'édition : 04
Dépôt légal : septembre 2015
Imprimé en Italie